nórdicos

**MATERIAL COMPLEMENTAR
ACESSE AQUI**

Copyright © 2022 Claudio Blanc
Direitos reservados e protegidos pela lei 9.610 de 19.2.1998.
Nenhuma parte deste livro pode ser reproduzida, arquivada em sistema de busca ou transmitida por qualquer meio, seja ele eletrônico, xérox, gravação ou outros, sem prévia autorização do detentor dos direitos, e não pode circular encadernada ou encapada de maneira distinta daquela em que foi publicada, ou sem que as mesmas condições sejam impostas aos compradores subsequentes.
1ª Impressão em 2022

Presidente: Paulo Roberto Houch
MTB 0083982/SP

Coordenação Editorial: Priscilla Sipans
Coordenação de Arte: Rubens Martim
Antologia e notas: Claudio Blanc
Tradução: Julia Fiuza
Capa e projeto editorial: Jorge Toth
Produção Editorial: Vozes do Mundo Comunicações

Vendas: Tel.: (11) 3393-7723 (vendas@editoraonline.com.br)

Impresso no Brasil.
Foi feito o depósito legal.

Dados Internacionais de Catalogação na Publicação (CIP)
(eDOC BRASIL, Belo Horizonte/MG)

B638s   Blanc, Claudio.
        Sagas e mitos nórdicos / Claudio Blanc. – Barueri, SP: Camelot, 2022.
            15,5 x 23 cm

            ISBN 978-65-80921-10-2

            1. Mitologia celta. 2. Mitologia nórdica. 3. Civilização – História. I.Título.
                                                        CDD 909

Elaborado por Maurício Amormino Júnior – CRB6/2422

Direitos reservados à
IBC – Instituto Brasileiro de Cultura LTDA
CNPJ 04.207.648/0001-94
Avenida Juruá, 762 – Alphaville Industrial
CEP. 06455-010 – Barueri/SP
www.editoraonline.com.br

Sumário

PARTE I – Os habitantes de Asgard

Há muito tempo, em uma terra distante 05
A construção da muralha 07
Iduna e as maçãs 13
O cabelo dourado de Sif 24
Como Brock levou Loki a julgamento 30
Como Freya ganhou seu colar 39
Como Frey ganhou Gerda, a donzela gigante,
e como perdeu sua espada mágica 45
Heimdall e a pequena Hnossa: como as coisas vieram a ser 53
As premonições de Odin 59

PARTE II – Odin, o andarilho

Odin vai ao Poço de Mímir: seu sacrifício pela sabedoria 64
Odin enfrenta um homem mau 68
Odin conquista o hidromel mágico para os homens 74
Odin conta à Vidar, seu filho calado, o segredo de suas ações 82
Thor e Loki na cidade dos gigantes 85
Como Thor e Loki enganaram Thrym, o gigante 97
A celebração de Ægir: como Thor triunfou 104
O tesouro do anão e sua maldição 114

PARTE III – O coração da bruxa

Presságios em Asgard 125
Loki, o traidor 128
Loki contra os Æsir 135
A valquíria 139
Os filhos de Loki 143
As ruínas de Baldur 148
A punição de Loki 157

PARTE I
Os habitantes de Asgard

Há muito tempo, em uma terra distante

Era uma vez um outro Sol e outra Lua; um Sol e uma Lua diferentes das que vemos agora. Sol era o nome desse Sol e Mani era o nome dessa Lua. Sempre atrás de Sol e de Mani iam os lobos, um atrás do outro. Finalmente, os lobos os alcançaram e devoraram Sol e Mani. E então o mundo ficou escuro e frio.

Naqueles tempos, viveram os deuses: Odin e Thor, Hödur e Baldur, Tyr e Heimdall, Vidar e Vali, bem como Loki, que faz o bem e que faz o mal. E nessa época, viviam também lindas deusas, Frigga, Freya, Nanna, Iduna e Sif. Mas nos dias em que o Sol e a Lua foram destruídos, os deuses também foram destruídos – todos os eles, exceto Baldur, que morrera antes dessa época, Vidar e Vali, os filhos de Odin, e Modi e Magni, os filhos de Thor.

Naquela época também havia homens e mulheres. Mas antes que o Sol e a Lua fossem devorados e antes que os deuses fossem destruídos, coisas terríveis aconteceram no mundo. A neve caiu nos quatro cantos da Terra e continuou caindo por três estações. Os ventos vieram e sopraram tudo para longe. E as pessoas do mundo que sobreviveram, apesar da neve, do frio e dos ventos, lutaram entre si, irmão matando irmão, até que todas foram destruídas.

Também havia outra Terra naquela época, uma terra verde e bela. Mas os terríveis ventos que sopraram derrubaram florestas, colinas e moradias. Então o fogo veio e queimou a terra. Houve escuridão, pois o Sol e a Lua haviam sido devorados. Os deuses encontraram sua condenação. E a época em que todas essas coisas aconteceram foi chamada de Ragnarök, o Crepúsculo dos Deuses.

Então um novo Sol e uma nova Lua apareceram e foram viajando pelos céus; eles eram mais adoráveis do que Sol e Mani, e nenhum lobo os seguia, caçando-os. A Terra ficou verde e bela novamente, e em uma floresta densa onde o fogo não queimou, uma mulher e um homem acordaram. Eles foram escondidos lá por Odin e deixados para dormir durante o Ragnarök.

Lif era o nome da mulher e Lifthrasir, o do homem. Eles viajaram pelo mundo, e seus filhos e os filhos de seus filhos povoaram a nova Terra. E dos deuses, ficaram Vidar e Vali, os filhos de Odin, e Modi e Magni, os filhos de Thor. Na nova Terra, Vidar e Vali encontraram tabuinhas em que os deuses mais velhos escreveram e lá deixaram para eles, contando tudo o que acontecera antes de Ragnarök. E as pessoas que viveram depois de Ragnarök não mais foram perturbadas pelos seres terríveis que trouxeram a destruição ao mundo.

A construção da muralha

empre houve guerra entre os gigantes e os deuses. Os gigantes que queriam destruir o mundo e a raça dos homens, e os deuses que desejavam proteger os humanos e tornar o mundo mais belo.

Há muitas histórias para se contar sobre os deuses, mas a primeira que deveria ser contada é a da construção de sua cidade.

Os deuses haviam subido ao topo de uma alta montanha e lá decidiram construir uma grande cidade para si mesmos, a qual os gigantes nunca poderiam derrubar. Era a cidade que eles chamariam de "Asgard", que significa "o lugar dos deuses". Eles iriam construí-la em uma bela planície que ficava no topo daquela alta montanha, e queriam erguer ao redor de sua cidade a muralha mais alta e mais forte jamais construída.

Um dia, quando eles estavam começando a construir seus salões e palácios, um ser estranho veio até eles. Odin, o pai dos deuses, foi ter com ele lhe perguntou: – O que você quer na Montanha dos deuses?

– Eu sei o que se passa na mente dos deuses –, disse o estranho. – Eles construiriam uma cidade aqui. Não posso construir palácios, mas posso construir grandes muralhas que nunca poderão ser derrubadas. Deixe-me construir a muralha ao redor de sua cidade.

– Quanto tempo você levará para ao construir uma muralha que contorne nossa cidade? –, quis saber o pai dos deuses.

– Um ano, ó Odin.

Odin sabia que, se uma grande muralha fosse ser construída ao redor da cidade, os deuses não teriam que gastar todo o seu tempo defendendo Asgard dos gigantes. Também sabia que se Asgard estivesse bem protegida, ele mesmo poderia ir ter com os homens, lhes ensinar e lhes ajudar. Assim, pensou que nenhum pagamento que o estranho pudesse pedir seria muito para a construção daquela muralha.

Naquele mesmo dia, o estranho veio ao Conselho dos deuses e jurou que em um ano construiria a grande muralha. Então Odin jurou que os deuses lhe dariam o que ele pedisse em pagamento se a muralha fosse terminada até a última pedra, durante um ano a partir daquele dia.

O estranho foi embora e voltou na manhã seguinte. Era o primeiro dia de verão quando ele começou a trabalhar, e não trouxe ninguém para ajudá-lo, exceto um grande cavalo.

Os deuses pensaram que esse cavalo não faria mais do que arrastar blocos de pedra para a construção. Mas o cavalo fez mais do que isso. Ele colocou as pedras em seus lugares e as cimentou. Dia e noite, sob a luz e a escuridão, o cavalo trabalhou, e logo uma grande muralha foi se erguendo ao redor dos palácios que os deuses estavam construindo.

– Que recompensa o estranho vai pedir pelo trabalho que está fazendo por nós? – os deuses perguntavam-se uns aos outros.

Odin foi até o estranho.

– Estamos maravilhados com o trabalho que você e seu cavalo estão fazendo por nós – disse ele. – Ninguém pode duvidar que a grande muralha de Asgard será construída até o primeiro dia do próximo verão. Que recompensa você irá pedir? Nós a teremos pronta para você.

A construção da muralha

O estranho parou o trabalho que estava fazendo, deixando o grande cavalo empilhando os blocos de pedra.

– Ó pai dos deuses, a recompensa que pedirei por meu trabalho é o Sol e a Lua, e Freya, que zela pelas flores e a grama, por minha esposa.

Ao ouvir isso, Odin ficou terrivelmente zangado, pois o preço que o estranho pedia era muitíssimo alto. Ele se dirigiu aos outros deuses e lhes disse o preço que o estranho havia pedido. Os deuses disseram:

– Sem o Sol e a Lua, o mundo fenecerá.

E as deusas observaram:

– Sem Freya, tudo será sombrio em Asgard.

Eles prefeririam abandonar a construção da muralha, em vez de pagar ao estranho a recompensa que ele reivindicava. Mas alguém entre os deuses falou. Era Loki, um ser que não era totalmente da raça dos deuses; seu pai era o gigante do vento.

– Deixem o estranho construir a muralha ao redor de Asgard – disse ele. – Eu vou encontrar uma maneira de fazê-lo desistir da barganha que fez com os deuses. Vão até ele e lhe digam que se a muralha não estiver terminada até a última pedra no primeiro dia de verão, o preço que ele pede não será pago.

Os deuses foram até o estranho e fizeram conforme Loki havia dito. Agora, eles sabiam que o estranho era um gigante.

O gigante e seu enorme cavalo continuaram a construir a muralha ainda mais rapidamente do que antes. À noite, enquanto o gigante dormia, o cavalo trabalhava continuamente, levantando pedras e colocando-as na muralha. E, dia a dia, a muralha ao redor de Asgard ficava cada vez mais alta.

Apesar disso, os deuses não se alegraram nem um pouco ao verem aquela grande muralha subindo cada vez mais ao redor de seus palácios. O gigante e seu cavalo terminariam o trabalho no primeiro dia do verão, e então ele levaria o Sol e a Lua, o Sol e Mani, e Freya com ele.

Mas Loki não estava perturbado. Ele continuou dizendo aos deuses que encontraria uma maneira de impedir o gigante de terminar sua tarefa, desistindo, assim, do preço descabido que pedia pelo trabalho.

Faltavam três dias para o verão. Toda a parede foi terminada, exceto o portal. Sobre o portal, uma pedra ainda precisava ser colocada. E o gigante, antes de dormir, mandou seu cavalo puxar um grande bloco de pedra para que eles pudessem colocá-lo acima do portão pela manhã, concluindo, desse modo, o trabalho dois dias inteiros antes do prazo.

Era uma bela noite de luar. Svadilfare, o grande cavalo do gigante, estava puxando a maior pedra que já transportara, quando viu uma pequena égua galopando em sua direção. O enorme animal nunca tinha visto uma égua tão pequena e tão bela e olhou para ela com surpresa.

– Svadilfare, escravo – disse a pequena égua ao passar por ele.

Svadilfare largou a pedra que estava puxando e chamou a pequena égua. Ela voltou até onde ele estava.

– Por que você me chamou de escravo? – perguntou Svadilfare.

– Porque, como todo escravo, você tem que trabalhar noite e dia para o seu mestre – respondeu a pequena égua. – Ele mantém você trabalhando, trabalhando, trabalhando, e nunca permite que se divirta. Você não ousaria deixar essa pedra no chão e vir brincar comigo.

– Quem disse que eu não ousaria fazer isso? – retrucou Svadilfare.

– Eu sei que você não ousaria fazer isso – provocou a pequena égua e correu pela campina iluminada pela Lua.

A verdade é que Svadilfare estava cansado de trabalhar dia e noite. Quando viu a pequena égua sair galopando, ficou repentinamente descontente. Deixou a pedra que estava puxando no chão e, vendo a pequena égua observando-o, galopou atrás dela.

Mas ele não alcançou a pequena égua, pois ela avançava rapidamente à sua frente. Ela se voltava provocativa, olhando para trás de vez em quando para ver se o grande Svadilfare a seguia. A égua desceu através da encosta da montanha, e Svadilfare, que agora se regozijava de sua liberdade com o frescor do vento e com o cheiro das flores, continuava a segui-la. Com a luz da manhã, eles chegaram perto de uma caverna, onde a pequena égua entrou. Lá, finalmente Svadilfare a alcançou, e os dois saíram vagando juntos enquanto a pequena égua contava a Svadilfare histórias sobre anões e elfos.

Chegaram a um bosque e ali ficaram juntos. A pequena égua brincava tanto e todo o tempo, que Svadilfare se esqueceu totalmente da passagem do tempo. E enquanto eles estavam no bosque, o gigante ia de um lugar a outro, procurando seu grande cavalo.

Ele tinha ido até a muralha pela manhã, esperando colocar a pedra sobre o portão e assim terminar seu trabalho. Mas a pedra que devia ser levantada não estava por lá. O gigante chamou Svadilfare, mas o grande cavalo não apareceu. O gigante se pôs, então, a procurar seu animal por toda parte. Mas não encontrou Svadilfare.

Os deuses viram o primeiro dia de verão chegar, e o portal da muralha continuar inacabado. Disseram um ao outro que, se não terminasse à noite, não precisariam dar o Sol e Mani ao gigante, nem a donzela Freya como esposa. As horas do primeiro dia de verão se passaram e o gigante não ergueu a pedra sobre o portal. À noite, ele foi procurar os deuses.

– Seu trabalho não foi concluído – disse Odin. – Você tentou nos trapacear e agora não precisamos pagar o preço que você pediu. Você não receberá nem o Sol, nem Mani, nem a donzela Freya.

Revoltado, o gigante tentou derrubar os palácios dos deuses, pois nem ele conseguiria derrubar a muralha que tinha erguido. Mas os deuses o dominaram e o expulsaram de sua cidade.

– Vá e não perturbe mais Asgard – ordenou Odin.

Então, Loki voltou para Asgard. Ele contou aos deuses como se transformou em uma pequena égua e afastou Svadilfare, o grande cavalo do gigante. E os deuses sentaram-se em seus palácios dourados, atrás da grande muralha, e se alegraram por sua cidade agora estar segura e por nenhum inimigo poder entrar ou derrubá-la.

Iduna e as maçãs

Em Asgard havia um jardim, e nesse jardim havia uma árvore onde cresciam reluzentes maçãs. Sabemos que, a cada dia que passa, ficamos mais velhos e nos aproximamos do dia em que estaremos curvados e debilitados, de cabelos grisalhos e olhos fracos. Mas os que comiam daquelas maçãs reluzentes que cresciam em Asgard nunca ficavam mais velhos, pois elas evitavam a velhice.

A deusa Iduna cuidava da árvore em que cresciam as maçãs. Nenhuma cresceria na árvore a menos que ela estivesse lá para cuidar delas. Ninguém além de Iduna podia colher as frutas. Todas as manhãs ela as apanhava e as deixava em sua cesta, e todos os dias os deuses e deusas vinham ao seu jardim para comerem as maçãs reluzentes e assim continuarem jovens para sempre.

Iduna nunca saía de seu jardim. O dia todo e todos os dias ela ficava no jardim ou na casa dourada ao lado dele, e o dia todo e todos os dias ouvia Bragi, seu marido, contar uma história que nunca tinha fim. Mas houve uma ocasião em que Iduna e suas maçãs foram perdidas para Asgard, e os deuses e deusas sentiram que a idade se aproximava deles. E foi assim que esta história se passou.

Odin, o pai dos deuses, costumava ir à Terra dos homens para cuidar de seus atos. Uma vez, levou Loki com ele, – aquele que faz o bem e aquele que faz o mal. Por muito tempo eles viajaram pelo mundo dos homens. Por fim, chegaram perto de Jötunheim, o reino dos gigantes.

Era uma região desolada e deserta. Nada crescia lá, nem mesmo árvores com frutos silvestres. Não havia pássaros, nem animais. Quando Odin e Loki passaram por essa região, a fome se abateu sobre eles. Em toda a terra ao redor eles não viram nada que pudessem comer.

Loki, correndo aqui e ali, finalmente encontrou um rebanho de gado selvagem. Aproximando-se dos animais, agarrou um jovem touro e o matou. Então ele carneou o boi, acendeu uma fogueira e colocou a carne no espeto para assar. Enquanto a carne era assada, Odin, o pai dos deuses, um pouco afastado, ficou pensando nas coisas que tinha visto no mundo dos homens.

Loki se ocupou colocando mais e mais toras no fogo. Por fim, chamou Odin, e o pai dos deuses veio e sentou-se perto do fogo para comer a refeição.

Mas quando a carne foi retirada dos espetos, e Odin foi cortá-la, percebeu que ainda estava crua. Ele sorriu para Loki por ter pensado que a carne estava pronta, e Loki, preocupado por ter cometido um erro, colocou a carne de volta e lançou mais lenha no fogo. Novamente Loki tirou a carne da brasa e chamou Odin para a refeição.

Odin, quando pegou a carne que Loki trouxe para ele, viu que estava tão crua como se nunca tivesse sido colocada no fogo.

– Isso é algum truque seu, Loki? – perguntou o pai dos deuses.

Loki estava tão zangado com a carne crua que Odin percebeu que ele não estava pregando peças. Com fome, ele se enfureceu com a carne e com o fogo. Novamente, colocou a carne nos espetos para assar e lançou mais lenha no fogo. Quando estava certo de que a carne já estava pronta, retirava-a e servia, mas toda vez Odin descobria que a carne estava tão crua quanto da primeira vez que a tiraram do fogo.

Agora Odin sabia que a carne devia estar sob algum encantamento dos gigantes. Ele se levantou e seguiu seu caminho, com fome, mas resoluto. Loki, no entanto, não abandonou a carne que colocara de volta no fogo. Ele a assaria, declarou, e não sairia daquele lugar com fome.

A madrugada chegou e ele pegou a carne novamente. Enquanto a tirava do fogo, ouviu um zumbido de asas acima de sua cabeça. Olhando para cima, viu uma águia poderosa, a maior que já vira. A águia deu voltas e mais voltas e veio acima da cabeça de Loki.

– Você não consegue assar sua comida? – a águia perguntou para ele.

– Eu não consigo cozinhá-la – explicou Loki.

– Vou prepará-la para você, se me der uma parte – propôs a águia.

– Venha, então, e cozinhe para mim – disse Loki.

A águia deu a volta até ficar acima do fogo. Em seguida, batendo suas grandes asas sobre ele, fez o fogo arder e arder. Um calor que Loki nunca havia sentido antes vinha da lenha queimando. Em um minuto, ele tirou a carne dos espetos e descobriu que estava bem assada.

– Minha parte! Minha parte! Dê-me a minha parte – gritou a águia para ele. Então, ela deu um rasante e, agarrando um grande pedaço de carne, o devorou instantaneamente. Em seguida, a águia agarrou outra peça. Pedaço após pedaço, ia devorando tudo, fazendo parecer que não sobraria nada para Loki.

Quando a águia agarrou a última peça, Loki ficou com muita raiva. Pegando o espeto com o qual a carne havia sido cozida, golpeou a águia. Fez-se um som como se ele tivesse batido em algum metal. O espeto pendeu no peito da águia, e, de repente, a águia se ergueu no ar. Loki, que segurava o espeto preso ao peito da águia, foi levado com ela.

Antes que ele soubesse o que tinha acontecido, estava a quilômetros e quilômetros de altura, e a águia gritava:

– Loki, Loki, finalmente peguei você. Foi você quem enganou meu irmão que ficou sem pagamento depois de construir a muralha ao redor de Asgard. Mas, Loki, finalmente capturei você. Saiba agora que Thiassi, o gigante, rendeu você, Loki, o mais astuto dos habitantes de Asgard.

Assim a águia gritava enquanto voava com Loki em direção a Jötunheim, o reino dos gigantes. Eles passaram pelo rio que separa Jötunheim de Midgard, o mundo dos homens. E agora Loki viu um lugar terrível abaixo dele, uma terra de gelo e rocha. Grandes montanhas havia lá: não eram iluminadas nem pelo Sol nem pela Lua, mas por colunas de fogo lançadas de vez em quando através de fendas na terra ou dos picos das montanhas.

A águia pairou sobre um grande iceberg. De repente, ela tirou o espeto de seu peito e Loki caiu no gelo. A águia gritou para ele:

– Você está finalmente em meu poder! Você, o mais astuto de todos os habitantes de Asgard.

A águia deixou Loki lá e voou para dentro de uma fenda na montanha.

Loki sentiu-se miserável naquele iceberg. O frio era mortal. Ele não poderia morrer ali, pois era um dos habitantes de Asgard, e a morte não poderia chegar-lhe dessa maneira.

Depois de um dia, seu raptador veio até ele, desta vez, não como uma águia, mas com sua própria forma, como Thiassi, o gigante.

– Quer deixar o iceberg, Loki, e regressar ao teu agradável lugar em Asgard? Você se deleita em Asgard, embora você seja um deus apenas em parte. Seu pai, Loki, foi o gigante do vento.

– Oh, se eu pudesse deixar este iceberg! – disse Loki, com as lágrimas congelando em seu rosto.

– Você pode deixá-lo quando estiver pronto para pagar o seu resgate – disse Thiassi. – Você vai ter que me dar as maçãs que Iduna guarda em sua cesta.

– Eu não posso pegar as maçãs de Iduna para você, Thiassi – protestou Loki.

– Então fique no iceberg, Loki!

Thiassi disse isto e foi embora, deixando Loki só com os terríveis ventos golpeando-o como se fossem golpes de martelo.

Quando Thiassi voltou e tornou a falar sobre seu resgate, Loki falou:

– Não há como obter as maçãs de Iduna.

– Deve haver alguma maneira, ó astuto Loki – disse o gigante.

– Embora Iduna guarde bem as maçãs, ela é simplória – comentou Loki. – Pode ser que eu consiga fazer com que ela saia da muralha de Asgard. Se sair, ela trará suas maçãs consigo, pois nunca as deixa longe de si, exceto quando as dá aos deuses e deusas para que eles as comam.

– Faça com que ela saia da muralha de Asgard – disse o gigante. – Se ela sair da muralha, eu pegarei as maçãs. Jure pela Árvore do Mundo[1] que você atrairá Iduna para fora da muralha de Asgard. Jure, Loki, e eu o deixarei ir.

– Eu juro por Yggdrasil, a Árvore do Mundo, que atrairei Iduna para fora da muralha de Asgard se você me tirar deste iceberg – disse Loki.

Então Thiassi se transformou em uma águia poderosa e, levando Loki em suas garras, voou com ele sobre o rio que divide Jötunheim,

---

[1] Yggdrasil.

o reino dos gigantes, até Midgard, o mundo dos homens. Ele deixou Loki em Midgard, e Loki então seguiu seu caminho para Asgard.

Entrementes, Odin já havia retornado e contado aos habitantes de Asgard sobre a tentativa de Loki de assar a carne encantada. Todos riram ao pensar que Loki havia ficado faminto, já que era conhecido por sua astúcia. Então, quando ele chegou a Asgard, faminto, eles pensaram que era porque Loki não tinha comido. Os deuses riam dele, mas o levaram ao Salão de Banquetes e lhe deram a melhor comida e hidromel de Odin. Quando o banquete acabou, os habitantes de Asgard foram ao jardim de Iduna, como de costume.

Lá estava Iduna sentada na casa dourada que se abria para seu jardim. Se ela tivesse estado no mundo dos homens, cada um que a visse seria tocado por sua inocência, cercada de uma aura de justiça e bondade. Ela tinha olhos azuis como o céu e sorria como se estivesse se lembrando de coisas lindas que tinha visto ou ouvido. A cesta de maçãs brilhantes estava ao lado dela.

A cada deus e deusa, Iduna deu uma maçã brilhante. Cada um comeu a fruta que recebera, regozijando-se ao pensar que nunca envelheceriam. Então depois de louvarem Iduna, os habitantes de Asgard saíram do jardim, cada um indo para seu próprio palácio.

Todos foram, exceto Loki. Ele ficou no jardim, observando a bela e inocente Iduna. Depois de um tempo, ela se aproximou dele e perguntou:

– Por que você ainda está aqui, sábio Loki?

– Para ver bem suas maçãs – respondeu Loki. – Estou me perguntando se as maçãs que vi ontem são realmente tão reluzentes quanto as maçãs da sua cesta.

– Não há maçãs no mundo tão reluzentes quanto as minhas – indignou-se Iduna.

– As maçãs que vi eram mais reluzentes – sustentou Loki. – Sim, e eram mais perfumadas, Iduna.

Iduna ficou preocupada com o que Loki, a quem ela considerava tão sábio, dissera. Seus olhos se encheram de lágrimas porque poderia haver mais maçãs reluzentes no mundo do que as dela.

– Ó Loki, isto não pode ser. Nenhuma maçã é mais reluzente, e nenhuma cheira tão doce como as maçãs que eu colho da árvore em meu jardim.

– Vá, então, e veja. Perto de Asgard está a árvore que tem as maçãs que eu vi. Você, Iduna, nunca deixa o seu jardim e por isso não sabe o que há no mundo. Saia de Asgard e veja por si mesma.

– Eu irei, Loki – disse Iduna, a justa e simples.

Iduna saiu da muralha de Asgard. Ela foi para o lugar onde Loki dissera que as maçãs cresciam. Mas enquanto procurava, Iduna ouviu um zumbido de asas acima dela. Olhando para cima, viu uma poderosa águia, a maior águia que já aparecera no céu.

Ela recuou em direção ao portão de Asgard. Mas a grande águia mergulhou, e Iduna se sentiu levitando, percebendo que estava sendo carregada para longe de Asgard, para além de Midgard onde os homens viviam, na direção das rochas e neves de Jötunheim. Então a águia voou para uma fenda na montanha e Iduna foi deixada em um salão cavernoso iluminado por colunas de fogo que explodiam da terra.

A águia afrouxou suas garras, e Iduna caiu no chão da caverna. A águia se transformou, e a deusa viu seu raptador como um gigante terrível.

– Por que você me tirou de Asgard e me trouxe para este lugar? – Iduna chorou.

– Para que eu possa comer suas maçãs, Iduna – respondeu Thiassi, o gigante.

– Isso nunca vai acontecer, porque eu não as darei a você – disse Iduna.

– Dê-me as maçãs e eu a levarei de volta para Asgard.

– Não, não, isso não pode ser. Eu fui confiada com a guarda das maçãs reluzentes para dá-las apenas aos deuses.

– Então, vou tirar as maçãs de você – ameaçou Thiassi.

Ele tirou a cesta das mãos dela e a abriu. Mas quando tocou as maçãs, elas murcharam em suas mãos. Ele as deixou na cesta, a qual colocou no chão, pois sabia agora que as maçãs não lhes serviriam para ele, a menos que Iduna as desse com suas próprias mãos.

– Você vai ficar comigo aqui até me dar as maçãs brilhantes – declarou Thiassi a ela.

Então, a pobre Iduna sentiu medo; medo da caverna estranha, do fogo que continuava borbulhando da terra e do terrível gigante. Mas, acima de tudo, ela estava com medo do mal que cairia sobre os habitantes de Asgard se ela não estivesse lá para lhes dar as maçãs brilhantes para comer.

O gigante veio até ela novamente. Mesmo assim, Iduna não lhe deu as maçãs brilhantes. E lá na caverna ela ficou, enquanto o gigante perturbava-a todos os dias. E cada vez mais Iduna se amedrontava ao ver em seus sonhos os habitantes de Asgard irem para seu jardim e não receberem as maçãs reluzentes, sentindo e vendo uma mudança acontecendo.

Nos sonhos de Iduna, todos os dias os habitantes de Asgard iam ao jardim dela: Odin e Thor, Hödur e Baldur, Tyr e Heimdall, Vidar e Vali, com Frigga, Freya, Nanna e Sif. Não havia ninguém para colher as maçãs de sua árvore. E uma mudança começou a acontecer entre os deuses e deusas.

Eles não andavam mais com leveza; seus ombros dobraram-se e seus olhos já não eram mais tão brilhantes quanto gotas de orvalho. E quando olharam um para o outro, perceberam a mudança. A idade estava chegando aos habitantes de Asgard.

Eles sabiam que chegaria o tempo em que Frigga ficaria grisalha e velha; em que o cabelo dourado de Sif desapareceria; em que Odin não teria mais sua sabedoria clara; em que Thor não teria força suficiente para levantar e lançar seus raios. E os habitantes de Asgard ficaram tristes com essa percepção, e pareceu a eles que todo o brilho havia sumido de sua cidade resplandecente.

Onde estava Iduna cujas maçãs devolveriam juventude, força e beleza aos habitantes de Asgard? Os deuses a haviam procurado no Mundo dos Homens, mas nenhum vestígio dela encontraram. Ainda assim, Odin, perscrutando com sua sabedoria, encontrou um meio de obter conhecimento de onde Iduna estava escondida.

Ele convocou seus dois corvos, Hugin e Munin, os quais voavam pela Terra e pelo do reino dos gigantes e conheciam todas as coisas passadas e todas as que estavam por vir. Ele chamou Hugin e Munin e eles vieram: um sentou-se em seu ombro direito e o outro sentou-se em seu ombro esquerdo, e eles lhe contaram segredos profundos, revelando sobre Thiassi e seu desejo pelas maçãs reluzentes, e do logro de Loki a Iduna, a justa e simples.

O que Odin ouviu de seus corvos foi contado no Conselho dos deuses. Então Thor, o Forte, foi até Loki e colocou as mãos sobre ele. Quando Loki se viu nas garras do deus, gemeu:

– O que quer comigo, Thor?

– Eu lançaria você em um abismo no chão e o golpearia com meu trovão! – disse o deus forte. – Foi você quem fez com que Iduna partisse de Asgard!

– Ó Thor – implorou Loki – não me destrua. Deixe-me ficar em Asgard. Vou trazer Iduna de volta.

– Os deuses declaram – disse Thor – que você deve ir para Jötunheim e com sua astúcia reconquistar Iduna dos gigantes. Vai, ou então lançarei você em um abismo e o esmagarei com meu trovão.

– Eu irei – concordou Loki.

Loki pegou emprestada a roupa de penas de falcão de Frigga, a esposa de Odin, e vestindo o traje voou para Jötunheim na forma de um falcão.

Ele procurou por Jötunheim até encontrar a filha de Thiassi, Skadi. Loki voou até ela e deixou a donzela gigante pegá-lo e tê-lo como um animal de estimação. E ela o levou para a caverna onde Iduna estava presa.

Quando Loki viu Iduna, soube que parte de sua busca havia terminado. Agora ele tinha que tirar Iduna de Jötunheim e ir para Asgard, e por isso, não ficou mais com a donzela gigante, mas voou para as rochas altas da caverna. Skadi chorou pela fuga de seu animal de estimação, mas parou de procurar e chamar por ele e saiu da caverna.

Então Loki voou para onde Iduna estava sentada e falou com ela. Iduna, ao saber que um dos habitantes de Asgard estava por perto, chorou de alegria. Loki disse à deusa o que ela deveria fazer. Pelo poder de um feitiço que lhe foi dado, ele foi capaz de transformá-la em um pardal. Mas antes de fazer isso, ela pegou as maçãs de sua cesta e as jogou em lugares onde o gigante nunca as encontraria.

Skadi, voltando para a caverna, viu o falcão voar com o pardal ao seu lado. Ela gritou por seu pai, e o gigante soube de imediato que o falcão era Loki e o pardal, Iduna. Então, ele novamente se transformou na poderosa águia. A essa altura, o pardal e o falcão já estavam fora de vista, mas Thiassi, sabendo que poderia voar mais rapidamente do que eles, foi em direção a Asgard.

Logo, ele os viu. Eles voaram com toda a força que tinham, mas as grandes asas da águia a levavam para cada vez mais perto deles. Os habitantes de Asgard, reunidos em frente à muralha, viram o falcão e o pardal com a grande águia perseguindo-os. Souberam imediatamente que eram Loki e Iduna com Thiassi em sua perseguição.

Enquanto observavam a águia voando cada vez mais perto, os habitantes de Asgard temiam que Iduna fosse novamente capturada por Thiassi. Eles acenderam grandes fogueiras na muralha, sabendo que Loki encontraria um caminho através das fogueiras, trazendo, assim, Iduna com ele, mas que Thiassi não encontraria o caminho.

O falcão e o pardal voaram em direção às fogueiras. Loki entrou por entre as chamas e trouxe Iduna com ele. E Thiassi, aproximando-se do fogo e não encontrando caminho, bateu suas asas contra as chamas. Ele se chocou contra a muralha, vindo a morrer.

Assim, Iduna foi trazida de volta para Asgard. Mais uma vez ela se sentou na casa dourada que dava para seu jardim; mais uma vez ela colheu as maçãs brilhantes da árvore que cultivava e mais uma vez deu-as aos habitantes de Asgard. Os deuses voltaram a caminhar com leveza, e o brilho apareceu em seus olhos e rostos; a idade não mais se aproximou deles; a juventude voltou; e a luz e alegria estavam novamente em Asgard.

O cabelo dourado de Sif

Todos os que moravam em Asgard, os Æsir e as Asyniur, que eram os deuses e as deusas, e os Vanir, que eram os amigos dos deuses e das deusas, ficaram irados com Loki. Não era de se admirar que estivessem furiosos com Loki, pois ele havia deixado o gigante Thiassi levar Iduna e suas maçãs de ouro. Ainda assim, deve ser dito que a demonstração que eles fizeram de sua ira deixou Loki disposto a fazer mais maldades em Asgard.

Um dia ele viu uma chance de fazer uma maldade que alegrou seu coração. Sif, a esposa de Thor, estava dormindo do lado de fora de sua casa, e seu lindo cabelo dourado derramava-se ao seu redor. Loki sabia o quanto Thor amava aquele cabelo brilhante, e o quanto Sif o valorizava por causa do amor de Thor. Aqui estava sua chance de fazer um grande mal. Sorridente, ele pegou sua tesoura e cortou o cabelo brilhante, cada fio e cada trança. Sif não acordou enquanto seu tesouro lhe estava sendo tirado, de modo que Loki conseguiu cortar todo o seu cabelo.

Thor estava fora de Asgard. Voltando para a cidade dos deuses, ele entrou em sua casa. Sif, sua esposa, não estava lá para recebê-lo. Ele chamou por ela, mas não houve resposta. Thor foi para os palácios de todos os deuses e deusas, mas em nenhum deles encontrou sua esposa de cabelos dourados.

Quando estava voltando para casa, ouviu seu nome ser sussurrado. Ele parou, e então uma figura saiu de trás de uma pedra.

Um véu cobria sua cabeça, e Thor mal reconheceu Sif, sua esposa. Ele foi até ela, que soluçava sem parar.

– Thor, meu marido – disse ela –, não olhe para mim. Tenho vergonha de que você me veja. Eu irei embora de Asgard e devo deixar a companhia dos deuses e deusas. Irei até Svartheim viverei entre os anões. Não posso suportar que algum dos habitantes de Asgard olhe para mim agora.

– Sif, o que aconteceu para mudar você?

– Eu perdi o meu cabelo. Perdi o lindo cabelo dourado que você, Thor, amava. Você não vai mais me amar, então devo ir embora, para Svartheim e para a companhia dos anões. Eles são tão feios quanto eu estou agora.

Então ela tirou o véu que cobria sua cabeça, e Thor viu que todo o seu lindo cabelo tinha sumido. Ela ficou diante dele, envergonhada e triste, e em Thor cresceu uma raiva poderosa.

– Quem foi que fez isso com você, Sif? – perguntou ele. – Eu sou Thor, o mais forte de todos os habitantes de Asgard, e vou providenciar para que todos os poderes que os deuses possuem sejam usados para fazer justiça. Venha comigo, Sif.

Pegando a mão de sua esposa, Thor foi para a Casa do Conselho, onde os deuses e as deusas estavam.

Sif cobriu a cabeça com o véu, pois ela não queria que os deuses e deusas a vissem sem cabelos. Mas, pela raiva nos olhos de Thor, todos viram que o mal feito a Sif era realmente grande. Então Thor contou o que tinha acontecido. Um sussurro percorreu a Casa do Conselho.

– Foi Loki quem fez isso. Ninguém mais em Asgard teria tido uma ação tão vergonhosa – disseram um ao outro.

– Foi Loki quem fez isso – concordou Thor. – Ele se escondeu, mas eu o encontrarei e o matarei.

— Não, não é assim, Thor — disse Odin, o pai dos deuses. — Não, nenhum habitante de Asgard pode matar outro. Devo convocar Loki para vir diante de nós aqui. Cabe a você trazê-lo. E lembre-se de que Loki é astuto e capaz de aprontar muitas coisas. Ele deve devolver para Sif a beleza de seus cabelos dourados.

Em seguida, o chamado de Odin, o qual todos em Asgard devem atender, correu pela Cidade dos Deuses. Loki ouviu e teve que sair de seu esconderijo e ir à casa onde os deuses mantinham seu Conselho. E quando ele olhou para Thor e viu a raiva que estava em seus olhos, e quando viu a severidade no rosto do pai dos deuses, sabia que teria que apaziguá-los pelo vergonhoso mal que fizera a Sif.

Disse Odin:

— Há uma coisa que você, Loki, tem que fazer: restituir a Sif a beleza de seu cabelo.

Loki olhou para Odin e para Thor e soube que o que fora dito teria que ser feito. Sua mente rápida procurou encontrar uma maneira de devolver a Sif a beleza de seu cabelo dourado.

— Farei o que você mandar, Odin, Pai de Todos — concordou ele.

Mas antes de contarmos o que Loki fez para restaurar a beleza do cabelo dourado de Sif, devemos falar sobre os outros seres além dos deuses e deusas que estavam no mundo naquela época. Primeiro, havia os Vanir. Quando os deuses que eram chamados de Æsir chegaram à montanha na qual construíram Asgard, eles encontraram outros seres lá. Eles não eram perversos e horrendos como os gigantes; eram belos e amigáveis, e foram chamados de Vanir.

Embora fossem elegantes e cordiais, os Vanir não pensavam em tornar o mundo mais belo ou mais feliz. Nesse sentido, eles diferiam dos Æsir que pensavam assim. Os Æsir fizeram as pazes com eles, e eles viveram juntos em amizade, e os Vanir vieram a fazer coisas que ajudaram os Æsir a tornar o mundo mais belo e mais feliz. Freya, a quem o gigante queria levar embora com o Sol e a Lua como recompensa pela construção da muralha ao redor de Asgard, era dos Vanir. Os outros seres dos Vanir eram Frey, irmão de Freya, e Niörd, que era o pai deles.

Na terra abaixo havia outros seres – os delicados elfos, que dançavam e esvoaçavam, cuidando das árvores, das flores e da relva. Os Vanir foram autorizados a governar os elfos. Então, abaixo da terra, em cavernas e buracos, havia outra raça, os anões ou gnomos, pequenas criaturas retorcidas, más e feias, mas que eram os melhores artesãos do mundo.

Nos dias em que nem os Æsir e nem os Vanir eram amigos deles, Loki costumava ir para Svartheim, a morada dos anões abaixo da terra. E agora que tinha sido ordenado a devolver a Sif a beleza de seu cabelo, Loki pensou na ajuda que poderia obter dos anões.

Ele desceu e desceu através das passagens sinuosas na terra, e finalmente chegou onde os anões, que eram seus amigos, estavam trabalhando em suas forjas. Todos os anões eram mestres ferreiros e, quando encontrou seus amigos, estavam trabalhando com o martelo, batendo nos metais para lhes dar diferentes formas. Ele os observou por um tempo e tomou nota das coisas que estavam fazendo. Uma era uma lança, tão bem equilibrada e feita que acertaria qualquer alvo para o qual fosse lançada, não importando quão ruim fosse a pontaria do atirador. O outro era um barco que podia navegar em qualquer mar, mas que podia ser dobrado para caber no bolso. A lança se chama Gungnir e o barco Skidbladnir.

Loki se fez muito agradável aos anões, elogiando seu trabalho e prometendo-lhes coisas que apenas os habitantes de Asgard poderiam dar, coisas que os anões ansiavam ter. Loki conversou com eles e os convenceu até o ponto de aquela gente pequena e feia pensar que poderiam assumir Asgard e tudo o que havia nela.

Por fim, Loki disse a eles:

– Vocês têm uma barra de ouro fino que podem transformar em fios? Fios tão finos como o cabelo de Sif, a esposa de Thor? Somente os anões poderiam fazer uma coisa tão maravilhosa. Ah, aí está a barra de ouro. Transformem a barra em fios finos como cabelos e os próprios deuses ficarão com inveja do seu trabalho.

Lisonjeados com a conversa de Loki, os anões que estavam na forja pegaram a barra de ouro e a jogaram no fogo. Em seguida, retirando-a e colocando-a na bigorna, trabalharam na barra com seus pequenos martelos até transformá-la em fios tão finos quanto cabelos. Mas isso não bastava. Eles deveriam ser tão finos quanto os cabelos de Sif, que eram mais finos e leves do que qualquer outra coisa. Assim, eles voltaram a trabalhar nos fios uma e outra vez, até ficarem tão finos quanto os cabelos de Sif. Os fios eram tão brilhantes quanto a luz do Sol, e quando Loki pegou a massa de ouro trabalhado, ela fluiu de sua mão levantada até o chão. Era tão fino que podia ser colocado na palma da mão e tão leve que um pássaro talvez não sentisse seu peso.

Então Loki elogiou os anões mais e mais e fez mais e mais promessas a eles. Ele encantou a todos, embora fossem um povo hostil e desconfiado. E antes de deixá-los, ele lhes pediu a lança Gungnir e o barco Skidbladnir. Os anões deram a ele essas coisas, embora pouco depois tivessem se arrependido.

Em seguida, Loki voltou a Asgard. Ele foi diretamente à Casa do Conselho, onde os habitantes de Asgard estavam reunidos. Respondeu ao olhar severo de Odin e à expressão raivosa de

Thor com um sorriso de bom humor.

– Tire o véu, Sif – disse ele.

E quando a pobre Sif tirou o véu, ele colocou sobre a cabeça sem cabelos a maravilhosa massa de ouro que trazia na palma da mão. O ouro se derramou sobre seus ombros, descendo fino, macio e brilhante como o próprio cabelo de Sif. E os Æsir e as Asyniur, os deuses e as deusas, e os Vanir, quando viram a cabeça de Sif coberta novamente com a cabeleira dourada e brilhante, riram e bateram palmas de alegria. E os cabelos reluzentes fixaram-se na cabeça de Sif como se tivessem nascido naturalmente.

Como Brok levou Loki a julgamento

Foi então que Loki, com o desejo fazer as pazes com os Æsir e os Vanir, mostrou as coisas maravilhosas que havia ganhado dos anões: a lança Gungnir e o barco Skidbladnir. O Æsir e o Vanir maravilhavam-se com aqueles objetos. Loki deu a lança de presente para Odin, e para Frey, que era o chefe dos Vanir, deu o barco Skidbladnir.

Todos em Asgard se alegraram porque coisas tão maravilhosas e úteis lhes tinham sido oferecidas. E Loki, que tinha feito uma grande demonstração ao dar esses presentes, disse com orgulho:

– Ninguém, exceto os anões que trabalham para mim, poderiam fazer tais coisas. Existem outros anões, mas eles são tão desajeitados quanto deformados. Os anões que são meus servos são os únicos que podem fazer tais maravilhas.

Assim, Loki, em sua arrogância, disse uma coisa tola. Havia outros anões além daqueles que trabalharam para ele, e um deles estava lá, em Asgard. Sem o conhecimento de Loki, ele ficou atrás do trono de Odin, ouvindo o que estava sendo dito. Então ele foi até Loki, com sua forma pequena e infeliz, tremendo de raiva. Era Brock, o mais rancoroso de todos os anões.

– Ah, Loki, seu fanfarrão! – ele rugiu – Você mente! Sindri, meu irmão, que desprezaria servi-lo, é o melhor ferreiro de Svartheim.

Como Brok levou Loki a julgamento

Os Æsir e o Vanir riram ao ver Loki ser desafiado por Brok, desprezando sua arrogância. Enquanto eles riam, Loki ficou com raiva.

– Cale-se, anão! – ordenou ele. – Seu irmão aprenderá o trabalho do ferreiro quando for aos anões que são meus amigos e aprender alguma coisa com eles.

– Meu irmão Sindri aprendeu com os anões que são seus amigos! – afirmou Brock, com ainda mais raiva do que antes. – As coisas que você trouxe de Svartheim não seriam sequer notadas pelos Æsir e os Vanir se fossem comparadas com as coisas que meu irmão Sindri pode fazer.

– Algum dia testaremos seu irmão Sindri e veremos o que ele pode fazer – disse Loki.

– Teste agora! – gritou Brock. – Eu apostarei minha cabeça contra a sua, Loki, que o trabalho dele fará os habitantes de Asgard rirem de sua ostentação.

– Vou aceitar sua aposta – disse Loki. – Minha cabeça contra a sua. E ficarei feliz em ver essa sua cabeça feia fora desses ombros deformados.

– Os Æsir julgarão se o trabalho do meu irmão é ou não o melhor já feito em Svartheim. E eles farão com que você pague sua aposta, Loki, sem pensar duas vezes. Vocês não ficarão para julgar, ó habitantes de Asgard?

– Faremos o julgamento – responderam os Æsir. Então, ainda cheio de raiva, Brock, o anão, desceu para Svartheim e para o lugar onde seu irmão Sindri trabalhava.

Sindri estava com sua forja brilhante, trabalhando com foles, bigornas e martelos ao seu lado, cercado de pilhas de metal – ouro e prata, cobre e ferro. Brock contou sua história, como ele apostou sua cabeça contra a de Loki, pois acreditava que Sindri poderia fazer coisas mais maravilhosas do que a lança e o barco que Loki havia trazido para Asgard.

— Você estava certo no que disse, meu irmão — concordou Sindri. — E você não irá perder sua cabeça para Loki. Mas nós dois devemos trabalhar no que eu vou forjar. Será seu trabalho manter o fogo para que não se altere nem se apague por um único instante. Se você puder manter o fogo como eu lhe digo, nós forjaremos uma maravilha. Agora, irmão, mantenha suas mãos sobre o fole e o fogo sob seu ao controle.

Então, Sindri jogou no fogo não um pedaço de metal, mas uma pele de porco. Brock manteve as mãos no fole, trabalhando-o de forma que o fogo não se apagasse nem se intensificasse por um único instante. E no fogo brilhante a pele de porco inchou em uma forma estranha.

Mas Brock não foi deixado em paz. Um mosquito caiu nas mãos de Brock e as picou. O anão gritou de dor, mas suas mãos ainda seguravam o fole, trabalhando para manter o fogo constante, pois ele sabia que o moscardo era Loki, e que Loki estava se esforçando para estragar o trabalho de Sindri. A mosca picou novamente suas mãos, mas Brock, embora suas mãos parecessem ter sido perfuradas por ferros quentes, ainda acionou o fole para que o fogo não aumentasse ou diminuísse por um único instante.

Sindri veio e olhou para o fogo. Sobre a forma que se erguia ali, ele disse palavras mágicas. O moscardo havia voado para longe e Sindri mandou seu irmão parar de trabalhar. Ele tirou a coisa que tinha sido moldada no fogo e trabalhou nela com seu martelo. Era realmente uma maravilha: um javali, todo dourado, que podia voar aos ares e que emitia luz de suas cerdas enquanto voava. Brock esqueceu a dor em suas mãos e gritou de alegria.

— Esta é a maior das maravilhas! — exclamou. — Os habitantes de Asgard terão que julgar contra Loki. E eu terei a sua cabeça!

Mas Sindri disse:

— O javali Cerda Dourada não pode ser considerado uma maravilha tão grande quanto a lança Gungnir ou o barco Skidbladnir. Devemos fazer algo mais maravilhoso ainda. Trabalhe os foles como antes, irmão, e não deixe o fogo morrer ou aumentar por um único instante.

Então Sindri pegou uma peça de ouro tão brilhante que iluminou a caverna escura em que os anões trabalhavam. Ele jogou a peça de ouro no fogo e, então, foi fazer outra coisa e deixou Brock trabalhando no fole.

A mosca voou novamente. Brock não sabia que estava lá até que levou uma picada na nuca. A dor que Brock sentiu foi dilacerante. Mesmo assim, ele manteve as mãos no fole, trabalhando-o de modo que o fogo não se intensificasse nem diminuísse por um único instante. Quando Sindri veio examinar o fogo, Brock não conseguiu falar, de tanta dor.

Novamente Sindri disse palavras mágicas dirigidas ao ouro que estava sendo fundido. Ele o retirou e começou a trabalhar na bigorna. Então, em um momento, ele mostrou a Brock algo que resplandecia como o Sol.

— É uma peça esplêndida, meu irmão — explicou ele. — Um bracelete[2] para o braço direito de um deus. E este bracelete esconde maravilhas. A cada nove noites, oito braceletes iguais a ele cairão dele, pois este é Draupnir, o Bracelete que Se Multiplica.

— Para Odin, o pai dos deuses, o bracelete será dado — disse Brock.

— E Odin terá que declarar que nada tão maravilhoso ou tão be-

---

[2] O bracelete era um utensílio muito importante para os nórdicos, uma vez que personalizava e conferia um aspecto de compromisso com o sagrado e de honra ao seu dono. Era um símbolo de liberdade e de fidelidade. Era comum se jurar pelo bracelete.

néfico para os deuses jamais foi trazido para Asgard. Ó Loki, astuto Loki, eu terei sua cabeça apesar de seus truques.

– Não se precipite, irmão – avisou Sindri. – O que fizemos até agora é bom. Mas algo melhor ainda é o que fará os habitantes de Asgard darem a você a cabeça de Loki. Trabalhe como antes, irmão, e não deixe o fogo arder demais ou diminuir um único instante.

Dessa vez, Sindri jogou uma barra de ferro no fogo. Então ele foi buscar o martelo para moldá-la. Brock trabalhou no fole como antes, mas apenas suas mãos estavam firmes, pois todas as outras partes dele estavam tremendo com a expectativa da picada do moscardo.

Ele viu o mosquito disparar para a forja e gritou enquanto o animal voava ao seu redor, procurando um lugar onde pudesse picá-lo mais terrivelmente. O inseto picou a testa, bem entre os olhos. A picada lhe tirou a visão, e a escuridão encheu a caverna. Brock tentou manter as mãos firmes no fole, mas não sabia se o fogo estava aumentando ou diminuindo. Ele gritou e Sindri se apressou.

Sindri disse as palavras mágicas dirigidas ao ferro no fogo. Então ele o tirou do fogo.

– Mais um instante – disse ele – e o trabalho teria sido perfeito. Mas, como você deixou o fogo apagar por um momento, o resultado não foi tão bom quanto poderia ter sido.

Sindri levou o objeto moldado na forja para a bigorna e trabalhou nele. Quando a visão de Brock voltou, ele viu um grande martelo todo de ferro. O cabo não parecia longo o suficiente para equilibrar o martelo. Isso ocorreu porque o fogo se extinguiu por um instante enquanto estava sendo moldado.

– O martelo é Miölnir – informou Sindri – e é a coisa mais importante que sei fazer. Todos em Asgard devem se alegrar em ver este martelo. Só Thor será capaz de empunhá-lo. Agora, não tenho medo do julgamento dos habitantes de Asgard.

– Sim, eles terão que julgar a nosso favor! – gritou Brock. – E a cabeça de Loki, meu algoz, será entregue a mim.

– Sua cabeça está salva – disse Sindri. – E você poderá jogar a cabeça de Loki, que foi insolente conosco, no fogo na forja.

Os Æsir e os Vanir estavam sentados no Salão do Conselho de Asgard quando um séquito de anões apareceu diante deles. Brock chegava e era seguido por um bando de anões que traziam objetos pesados. Brock e seus assistentes colocaram-se ao redor do trono de Odin e ouviram as palavras do pai dos deuses.

– Sabemos por que você veio de Svartheim para Asgard – declarou Odin. – Você trouxe coisas maravilhosas e benéficas para os habitantes de Asgard. Mostre o que trouxe, Brock. Se o que tiver trazido for mais maravilhoso e mais útil do que as coisas que Loki trouxe de Svartheim, nós julgaremos a seu favor.

Então Brock comandou os anões que esperavam por ele e lhes instruiu a mostrar aos habitantes de Asgard a primeira das maravilhas que Sindri tinha feito. Eles trouxeram o javali Cerdas Douradas. O javali voou em círculos na Câmara do Conselho, deixando um rastro de luz. Os deuses comentaram uns com os outros que aquilo era realmente uma maravilha. Mas ninguém diria que o javali era uma coisa melhor para se ter em Asgard do que a lança que acerta o alvo, não importa como fosse lançada, ou o barco Skidbladnir que navega em qualquer mar e que pode ser dobrado a ponto de caber no bolso de qualquer um.

Para Frey, que era o líder dos Vanir, Brock deu o javali maravilhoso.

Em seguida, os anões presentes mostraram o bracelete que era tão brilhante quanto o círculo do Sol. Todos admiraram o nobre objeto. E quando foi contado como a cada nove noites o bracelete produzia mais oito peças de ouro iguais a ele, os habitantes de Asgard falaram em voz alta, todos dizendo que Draupnir, o Bracelete Que Se Multiplica, era realmente uma maravilha. Ouvindo suas vozes se elevarem, Brock olhou triunfante para Loki, que lá estava com os lábios cerrados.

Para Odin, o pai dos deuses, Brock deu o valioso bracelete. Então ele ordenou aos anões assistentes que colocassem diante de Thor o martelo Miölnir. Thor pegou o martelo e girou ao redor de sua cabeça. Ao fazer isso, ele soltou um grande grito. E os olhos dos habitantes de Asgard iluminaram-se quando viram Thor manejar Miölnir.

— Isto é uma verdadeira maravilha! — gritaram. — Com este martelo em sua mão ninguém pode resistir a Thor, nosso campeão.

Então Odin, o pai dos deuses, falou de seu trono, proferindo o veredito.

— O martelo Miölnir que o anão Brock trouxe para Asgard é uma coisa maravilhosa. De fato, muito benéfico para os deuses. Nas mãos de Thor, ele pode esmagar montanhas e repelir a raça gigante das muralhas de Asgard. Sindri, o anão, forjou algo melhor do que a lança Gungnir e o barco Skidbladnir. Não pode haver outro julgamento.

Brock olhou para Loki, mostrando seus dentes retorcidos.

— Agora, Loki, entregue sua cabeça! Entregue sua cabeça!

— Não peça tal coisa — declarou Odin. — Sentencie Loki a qualquer outra coisa por ter zombado de você. Faça-o dar a você o que ele tiver de mais valioso.

— Não é assim! Não é assim! — berrou Brock. — Vocês, habitantes de Asgard, protegem uns aos outros. Mas e eu? Loki teria arrancado minha cabeça se eu tivesse perdido a aposta. Loki perdeu sua cabeça para mim. Deixe-me cortá-la agora.

Loki avançou, sorrindo com os lábios cerrados.

– Eu me ajoelho diante de você, anão – disse ele. – Tire minha cabeça. Mas tenha cuidado. Não toque em meu pescoço. Eu não disse que você podia tocar meu pescoço. Se você fizer isso, eu chamarei os habitantes de Asgard para puni-lo.

Brock recuou com um grunhido.

– É este o julgamento dos deuses? – perguntou desanimado.

– O trato que você fez Brock – disse Odin – foi maligno, e você deve suportar todas as suas consequências malignas.

Brock, com raiva, olhou para Loki e viu que seus lábios estavam sorrindo. Ele bateu os pés e se enfureceu. Então, foi até Loki e disse:

– Posso não tirar sua cabeça, mas posso fazer algo com seus lábios que zombam de mim.

– O que você faria, anão? – quis saber Thor.

– Vou costurar os lábios de Loki – respondeu Brock. – Desse modo, ele não mais irá fazer mal com sua fala. Vocês, habitantes de Asgard, não podem me proibir de fazer isso. Abaixe-se, Loki, de joelhos diante de mim!

Loki olhou em volta para os habitantes de Asgard e viu que o veredito deles era que ele deveria se ajoelhar diante do anão. Ele se ajoelhou de má vontade.

– Cerre os lábios, Loki – ordenou Brock. Loki apertou os lábios enquanto seus olhos faiscavam fogo. Com um furador que tirou do cinto, Brock perfurou os lábios de Loki. Ele tirou um fio e os amarrou. Então, em triunfo, o anão olhou para Loki.

– Ó Loki – disse –, você se gabou de que os anões que trabalharam para você eram melhores artesãos do que Sindri, meu irmão. Provei que suas palavras eram mentiras. E agora você não vai poder se gabar por um bom tempo.

Então Brock, o anão, saiu do Salão do Conselho de Asgard com grande majestade, e os anões presentes marcharam atrás dele em procissão e desceram pelas passagens subterrâneas cantando uma canção que narrava o triunfo de Brock sobre Loki. E em Svartheim foi contado para sempre como Sindri e Brock venceram o deus astucioso.

Em Asgard, agora que os lábios de Loki estavam costurados, houve paz e uma trégua. Ninguém entre os Æsir ou Vanir lamentou quando Loki teve que andar em silêncio com a cabeça baixa.

Como Freya ganhou seu colar

Embora obrigado a se calar, Loki havia plantado as sementes da malícia, e essas sementes iriam brotar e trazer tristeza para a bela Freya, a quem o gigante queria levar com o Sol e a Lua como pagamento por sua construção da muralha ao redor de Asgard.

Freya olhou para as maravilhas que Loki havia trazido para Asgard: os fios dourados de ouro do cabelo de Sif, e o javali de Frey que lançava luz de suas cerdas enquanto voava. O resplendor desses objetos a deixou deslumbrada e a fez sonhar de dia e de noite com as maravilhas que ela poderia possuir. E muitas vezes ela pensava:

– Que coisas maravilhosas as três gigantas me dariam se eu conseguisse ir ter com elas no topo da montanha onde elas vivem.

Muito antes disso, quando a muralha ao redor de sua cidade ainda não havia sido construída e havia apenas o salão de Odin e o das deusas, três gigantas visitaram Asgard. Elas vieram depois que os deuses construíram uma forja e começaram a trabalhar o metal para seus edifícios. O metal que trabalharam era ouro puro. De ouro erigiram Gladsheim, o Salão de Odin, e com ouro fizeram todos os seus pratos e utensílios domésticos. Não havia cobiça nem mesquinhez. Felizes eram os deuses então, pois nenhuma sombra ou mau presságio pairava sobre Asgard.

Mas depois que as três gigantas vieram, os deuses começaram a valorizar o ouro e a acumulá-lo. E a feliz inocência dos primeiros dias se foi. Por fim, as três foram banidas de Asgard. Livres da sua influência, os deuses desviaram seus pensamentos do acúmulo de ouro, construíram sua cidade e se tornaram fortes.

E agora Freya, a bela deusa do amor, da atração e da fertilidade, pensava nas gigantas e nos maravilhosos objetos de ouro que elas possuíam. Contudo, ela não contou seus pensamentos para Odur, seu marido, pois Odur, mais do que qualquer outro morador de Asgard, costumava pensar nos dias de feliz inocência, antes que o ouro fosse acumulado e valorizado. Odur não queria que Freya chegasse perto do topo da montanha onde as três tinham seu trono.

Mas Freya não parava de pensar nelas e nas magníficas peças de ouro que tinham.

— Por que Odur descobriria que eu fui até elas? — disse para si mesma. — Ninguém dirá a ele. E que diferença fará se eu for até elas e conseguir alguma coisa linda para mim? Não vou amar menos Odur por seguir meu próprio caminho com relação a isto.

Então, um dia, ela partiu de seu palácio, deixando Odur, seu marido, brincando com sua filha Hnossa, e desceu para a Terra. Lá ela ficou por um tempo, cuidando das flores — o que era sua responsabilidade. Então, ela pediu aos elfos que lhe dissessem em que lugar ficava a montanha onde as três gigantas viviam.

Os elfos temeram por ela e não quiseram dizer. Obstinada, ela os deixou e se foi para as cavernas dos anões. Eles lhe mostraram o caminho para a morada das gigantas, mas antes eles a humilharam e abusaram dela.

— Nós mostraremos o caminho se você ficar conosco aqui — disse um dos anões.

– Por quanto tempo você quer que eu fique? – perguntou Freya.

– Até os galos em Svartheim cantarem – responderam os anões, agrupando-se ao redor dela. – Queremos saber como é a companhia de uma dos Vanir.

– Eu ficarei – concordou Freya.

Então um dos anões estendeu a mão e colocou os braços em volta do pescoço dela e beijou-a com sua boca feia. Freya tentou se desvencilhar deles, mas os anões a seguraram, e a deusa do sexo cedeu.

– Você não pode se afastar de nós agora até que os galos de Svartheim cantem – riram eles.

Então, um a um os outros anões se aproximaram dela e a beijaram. Eles a fizeram sentar-se ao lado deles sobre pilhas de peles e a tiveram até os galos de Svartheim cantarem. Finalmente, mostraram a ela a montanha no topo da qual as três gigantas que tinham sido banidas de Asgard viviam. Freya as encontrou sentadas, olhando Midgard, o Mundo dos Homens.

– O que você quer de nós, esposa de Odur? – perguntou uma delas, a que se chamava Gulveig.

– Ai de mim! Agora que a encontrei, sei que não devo pedir nada a você – disse Freya.

– Fale o que deseja, habitante de Asgard! – disse a segunda giganta.

A terceira não disse nada, mas tomou em uma das nas mãos um colar de ouro de um feitio muito intrincado.

– Como é brilhante! – exclamou Freya. – Que colar magnífico! Como eu ficaria feliz em usá-lo!

– É o colar Brisingamen – disse Gulveig.

– É para você usar, esposa de Odur – disse aquela que o tinha na mão.

Freya pegou o colar resplandecente e o colocou. Contudo, não sentiu que devia agradecer às gigantas, pois viu que havia maldade em seus olhos. Freya fez reverência às gigantas, no entanto, saiu da montanha de onde elas observavam o Mundo dos Homens.

Depois de algum tempo, viu Brisingamen brilhando em seu peito e seu infortúnio sumiu. Era a coisa mais linda já fabricada. Nenhum Æsir ou Vanir possuía algo tão bonito. O colar valorizava ainda mais sua incrível beleza e, por isso, pensou ela, Odur a perdoaria quando visse como Brisingamen a deixava ainda mais bela e feliz.

Assim, Freya deixou as flores, despediu-se dos elfos frágeis e tomou seu caminho para Asgard. Na cidade dos imortais, todos os que a encontraram ficaram maravilhados com o colar que ela usava. E nos olhos das deusas surgiu uma expressão de desejo quando viram Brisingamen.

Mas Freya quase não parou para falar com ninguém. Foi o mais rápido possível foi rumo ao seu palácio. Ela se mostraria a Odur e obteria seu perdão. Entrou em seu esplêndido palácio e o chamou. Não houve resposta. Sua filha, a pequena Hnossa, estava no chão, brincando. A mãe o tomou nos braços, mas a criança, ao olhar Brisingamen, afastou-se chorando.

Freya deixou Hnossa e procurou Odur novamente. Ele não estava em nenhuma parte do palácio. Ela entrou nas casas de todos os que moravam em Asgard, pedindo notícias dele. Ninguém sabia para onde ele tinha ido. Por fim, Freya voltou ao palácio e esperou que Odur voltasse. Mas Odur não voltou.

A esposa de Odin, a rainha Frigga, foi ter com ela.

– Você está esperando por Odur, seu marido – começou. – Mas, deixe-me dizer, Odur não virá. Ele se foi, pois por um objeto brilhante você fez o que o magoaria. Odur partiu de Asgard e ninguém sabe onde encontrá-lo.

– Vou procurá-lo, então – disse Freya. Ela parou de chorar, pegou Hnossa e a colocou nos braços de Frigga. Então ela montou em sua carruagem, puxada por dois gatos, e desceu de Asgard para Midgard, afim de procurar por seu marido.

Ano após ano, e por toda a Terra, Freya procurou Odur. Ela foi até os limites do mundo, onde podia ver Jötunheim, onde morava o gigante que a teria levado com o Sol e a Lua como pagamento pela construção da muralha ao redor de Asgard. Mas em nenhum lugar, desde o final do arco-íris Bifröst, que se estendia de Asgard à Terra, até a fronteira de Jötunheim, ela encontrou um vestígio de seu marido Odur.

Por fim, ela virou o carro em direção a Bifröst, a ponte arco-íris que liga Midgard, a Terra, até Asgard, a morada dos deuses. Heimdall, o Vigilante dos Deuses, guardava a ponte do arco-íris. Freya foi até ele com a esperança vibrando em seu coração.

– Heimdall! – chamou – Heimdall, diga-me se você sabe onde Odur está.

– Odur está em todos os lugares aonde quem o procura não foi – respondeu o guardião de Bifröst. – Odur está em todos os lugares de onde quem o procura partiu; aqueles que o buscam nunca encontrarão Odur – decretou Heimdall.

Então Freya sentou-se na ponte do arco-íris e chorou com amargura. Frigga, a deusa majestosa, ouviu o som de seu choro e saiu de Asgard para confortá-la.

– Ah, que conforto você pode me dar, Frigga? – soluçou Freya. – Que conforto você pode me dar quando Odur nunca será encontrado por quem o procura?

– Veja como sua filha, a criança Hnossa, cresceu – disse Frigga. Freya ergueu os olhos e viu uma linda donzela na ponte. Ela era jovem, mais jovem do que qualquer um dos deuses, e seu rosto e sua forma eram tão lindos como os da própria deusa da beleza.

Vendo a filha, Freya se consolou com sua perda. Ela seguiu Frigga através de Bifröst e foi mais uma vez para a cidade dos deuses e voltou a morar em seu palácio com Hnossa. Mesmo assim, continuava a usar Brisingamen em volta do pescoço, o colar que a fez perder Odur. Mas agora ela o usava, não por seu esplendor, mas como um sinal do mal que havia cometido. Ela chora, e suas lágrimas se transformam em gotas douradas ao cair na Terra. E para os poetas que conhecem sua história, ela é chamada de A Bela Dama das Lágrimas.

Como Frey ganhou Gerda, a donzela gigante, e como perdeu sua espada mágica

Quando Freya vagava pelo mundo em busca de seu marido, Odur, seu irmão Frey, chefe dos Vanir, ansiava por vê-la. Havia em Asgard um lugar de onde se podia ver o mundo e ter um vislumbre de todos os que vagavam por lá. Esse lugar era Hlidskjalf, a alta torre de vigia de Odin.

Frey foi até a torre, que era bem elevada, entrando no azul do céu, para saber o paradeiro da irmã. Mas Odin, o Pai de Todos, não estava. Apenas os dois lobos, Geri e Freki, que ficam ao lado do assento de Odin nos banquetes, estavam lá, e eles se colocaram na entrada da torre. Mas Frey falou com Geri e Freki na língua dos deuses, e os lobos de Odin tiveram que deixá-lo passar.

Mas, enquanto subia os degraus de Hlidskjalf, Frey, mesmo sendo chefe dos Vanir, sabia que estava fazendo uma coisa fatídica. Nenhum dos grandes deuses, nem mesmo Thor, o Defensor de Asgard, nem Baldur, o mais amado dos deuses, jamais subira ao topo daquela torre e sentara-se no trono do Pai de Todos.

– Mas se eu pudesse ver minha irmã ao menos uma vez, ficaria contente – disse Frey a si mesmo – E que mal pode haver se eu olhar para o mundo?

Assim, ele chegou ao alto de Hlidskjalf e se sentou no trono de Odin. Olhou de lá e viu Midgard, o Mundo dos Homens, com suas casas e cidades, suas fazendas e pessoas. Além de Midgard, viu Jötunheim, o reino dos gigantes, terrível com suas montanhas escuras e suas massas de neve e gelo. Então, viu Freya enquanto ela continuava suas andanças à procura do marido e notou que seu rosto estava voltado para Asgard, e que seus passos a conduziam em direção à cidade dos deuses.

– Eu a contentei em olhar de Hlidskjalf – disse Frey para si mesmo –, e nenhum mal me aconteceu.

Mas, enquanto falava, seu olhar foi atraído para uma casa que ficava no meio do gelo e da neve de Jötunheim. Por muito tempo ele ficou atraído por aquela casa, sem saber porque a olhava assim. Então a porta da casa se abriu e uma jovem giganta apareceu. Frey foi atraído pela grande beleza da giganta. Seu rosto era como a luz das estrelas naquela terra cinzenta e sem cor. Ela olhou da porta da casa, então se virou e entrou, fechando-a.

Frey permaneceu sentado no trono de Odin por muito tempo. Finalmente, desceu os degraus da torre e passou pelos dois lobos, Geri e Freki, que o olharam ameaçadoramente. Em Asgard, não encontrou ninguém que despertasse seu interesse e atenção. Naquela noite, o sono não veio, pois seus pensamentos estavam fixos na beleza da giganta que ele tinha visto. E quando amanheceu, ele se sentiu solitário, porque se encontrava muito longe dela. Assim, tomado de desejo, voltou para Hlidskjalf uma vez mais, pensando em subir a torre e vê-la mais uma vez. Mas agora os dois lobos, Geri e Freki, mostraram os dentes e não o deixaram passar, embora ele falasse com eles novamente na língua dos deuses.

Ele foi falar com o sábio Niörd, seu pai.

– Aquela que você viu, meu filho – disse Niörd – é Gerda, a filha do gigante Gymer. Você deve desistir de pensar nela. Seu amor por ela traria problemas para você.

Como Frey ganhou Gerda, a Donzela gigante, e Como Ele Perdeu Sua Espada Mágica

— Por que traria? – Frey perguntou.

— Porque você teria que dar o que você mais preza para ir até ela.

— Aquilo que mais prezo – disse Frey – é minha espada mágica.

— Você terá que dar sua espada mágica – confirmou o sábio Niörd.

— Eu darei – disse Frey, soltando a espada mágica do cinto.

— Pense em você, meu filho – disse Niörd. – Se der a sua espada, que arma terá no dia de Ragnarök, quando os gigantes farão guerra aos deuses?

Frey não respondeu, mas pensou que o dia de Ragnarök estava longe.

— Eu não posso viver sem Gerda – disse ele, enquanto se virava.

Havia, em Asgard, um aventureiro que se chamava Skirnir. Ele nunca se importava com o que dizia ou fazia. Para ninguém mais além de Skirnir, Frey poderia contar sobre o problema que o abatia: a punição por ter ocupado o trono do Pai de Todos.

Skirnir riu ao ouvir a história de Frey.

— Você, um Vanir, apaixonado por uma giganta de Jötunheim! Isto é realmente engraçado! Você pretende se casar?

— Eu poderia falar com ela ou enviar uma mensagem de amor – disse Frey. – Mas eu não posso deixar meu comando sobre os elfos.

— E se eu levasse uma mensagem a Gerda – perguntou Skirnir, o Aventureiro –, qual seria minha recompensa?

— Meu barco Skidbladnir ou meu javali Cerdas Douradas – respondeu Frey.

— Não, não – disse Skirnir. – Eu quero algo para ter comigo... Algo na minha mão pronto para usar. Dê-me sua espada mágica.

Frey pensou no que seu pai dissera, que ele ficaria sem armas no dia de Ragnarök, quando os gigantes guerreariam contra os deuses e quando Asgard estaria em perigo. Ele pensou sobre isso, e se afastou de Skirnir, e por um tempo permaneceu pensando sobre o que fazer. E o tempo todo o atarracado Skirnir ria dele com sua boca larga e seus olhos azuis. Então Frey disse a si mesmo: "O dia de Ragnarök está longe e não posso viver sem Gerda."

Ele puxou a espada mágica de seu cinto e a colocou na mão de Skirnir.

– Dou minha espada a você, Skirnir – disse ele. – Leve minha mensagem para Gerda, filha de Gymer. Mostre a ela este ouro e essas joias preciosas e diga que a amo e que reivindico seu amor.

– Vou trazer a giganta para você – prometeu Skirnir, o Aventureiro.

– Mas como você vai chegar a Jötunheim? – quis saber Frey, lembrando-se de como a Terra dos gigantes era escura e como eram terríveis os caminhos que levavam até lá.

– Oh, com um bom cavalo e uma boa espada pode-se chegar a qualquer lugar – explicou Skirnir. – Meu cavalo é poderoso, e você me deu sua espada mágica. Amanhã partirei.

Skirnir cavalgou por Bifröst, a ponte arco-íris, rindo com sua boca larga e seus olhos azuis para Heimdall, o guardião da ponte de Asgard. Seu poderoso cavalo pisou na terra de Midgard e cruzou a nado o rio que separa Midgard, o Mundo dos Homens, de Jötunheim, o reino dos gigantes. Ele cavalgou de modo descuidado e imprudente, como era seu costume. Então, das florestas de ferro vieram os lobos monstruosos de Jötunheim, para dilacerá-lo e devorar ele e seu poderoso cavalo. Foi bom para Skirnir ter no cinto a espada mágica de Frey. Sua lâmina matou e seu brilho assustou as feras monstruosas. E, depois de enfrentar as feras, Skirnir continuou a viagem em seu poderoso cavalo. En-

Como Frey ganhou Gerda, a Donzela Gigante, e Como Ele Perdeu Sua Espada Mágica

tão ele chegou a uma parede de fogo. Nenhum outro cavalo, exceto o seu poderia atravessá-la. Skirnir cavalgou através do fogo e chegou ao vale onde morava Gymer.

Ele estava diante da casa em que Frey vira Gerda entrar no dia em que ele escalou a Hlidskjalf, a torre de vigia de Odin. Os poderosos cães que guardavam a casa de Gymer vieram e latiram ao redor dele. Mas o brilho da espada mágica os manteve longe. Skirnir conduziu seu cavalo até a porta e fez com que os cascos de seu cavalo batessem nela.

Gymer estava no salão de festas bebendo com seus amigos gigantes e não ouviu o latido dos cães nem o barulho que Skirnir fazia à porta. Mas Gerda estava sentada com outras donzelas no corredor.

– Quem está à porta de Gymer? – indagou ela.

– Um guerreiro em um cavalo poderoso – disse uma das donzelas.

– Mesmo sendo ele um inimigo, aquele que matou meu irmão, devemos abrir a porta para ele e lhe dar uma caneca de hidromel de Gymer – disse Gerda.

Assim, uma das amigas de Gerda abriu a porta, e Skirnir entrou. Ele reconheceu Gerda entre as donzelas. Indo até ela, mostrou-lhe o ouro abundante e as joias preciosas que trouxera de Frey.

– Estes tesouros são para você, linda Gerda – disse ele –, se você der seu amor a Frey, o chefe dos Vanir.

– Mostre seu ouro e suas joias para outras donzelas – refutou Gerda. – Ouro e joias nunca me levarão a dar meu amor a ninguém.

Então Skirnir, sem se importar com as palavras da jovem, tirou a espada mágica de seu cinto e ergueu-a acima da cabeça de Gerda.

– Dê seu amor a Frey, que me deu esta espada – decretou ele – ou encontre sua morte pelo fio dela.

Gerda, a filha de Gymer, apenas riu do imprudente Skirnir,

— Atemorize as filhas dos homens temerosos com a lâmina da espada de Frey – riu a giganta –, mas não tente assustar a filha de um gigante com ela.

Então Skirnir, o imprudente, o descuidado de suas palavras, fez a espada mágica brilhar diante de seus olhos, enquanto ele gritava com uma voz terrível, lançando um feitiço sobre ela:

— Gerda, eu amaldiçoo você. Com esta lâmina mágica eu tocarei em você, e tal é o seu poder que, como um cardo, a fará murchar, como um cardo que o vento arranca do telhado.

Ao ouvir essas palavras terríveis e os estranhos assobios da espada mágica, Gerda se jogou no chão, clamando por piedade. Mas Skirnir estava sobre ela, e a espada mágica brilhava e sibilava. Skirnir cantou:

— Mais feia a deixarei, como nenhuma donzela jamais o foi; Serás ridicularizada pelos homens e pelos gigantes. Somente um anão se casará com você;

Ela se ajoelhou e gritou para Skirnir implorando para que a poupasse do feitiço da espada mágica.

— Só se você der seu amor a Frey – determinou Skirnir.

— Vou dar o meu amor a ele – concordou Gerda. – Agora embainhe sua espada mágica, beba uma caneca de hidromel e saia da casa de Gymer.

— Não beberei seu hidromel nem partirei da casa de Gymer até que você prometa que se encontrará e falará com Frey.

— Vou conhecê-lo e falar com ele – disse Gerda.

— Quando você vai se encontrar e falar com ele? – perguntou Skirnir.

— Na Floresta de Barri, nove noites depois de hoje. Que ele venha e me encontre lá.

Então Skirnir ergueu sua espada mágica e bebeu a caneca

Como Frey ganhou Gerda, a Donzela Gigante, e Como Ele Perdeu Sua Espada Mágica

de hidromel que Gerda lhe deu. Ele cavalgou da casa de Gymer, rindo alto por ter conquistado Gerda para Frey e, assim, conquistar a espada mágica.

Skirnir, o Aventureiro, o descuidado de suas palavras, cavalgando através de Bifröst em seu poderoso cavalo, encontrou Frey de pé esperando por ele ao lado de Heimdall, o guardião da ponte.

– Que notícias você me traz? – gritou Frey, ansioso. – Fale, Skirnir, antes mesmo de desmontar de seu cavalo.

– Em nove noites a partir de hoje você pode encontrar Gerda na Floresta de Barri – disse Skirnir, rindo com sua boca larga e seus olhos azuis. Mas Frey se virou, indagando-se:

– Longo é um dia. Longo, longo dois. Conseguirei viver nove longos dias?

De fato, aqueles dias de espera foram longos para Frey. Mas chegou o nono dia e, naquela noite, Frey foi para a Floresta de Barri. E lá ele conheceu Gerda, a donzela gigante. Ela estava tão bela como quando ele a vira do alto da torre, diante da porta da casa de Gymer. E quando ela viu Frey, tão alto e de aparência nobre, a filha do gigante ficou feliz por Skirnir, o Aventureiro, ter lhe levado a mensagem do amor de Frey. Eles deram um ao outro anéis de ouro. Decidiram que Gerda deveria ir para Asgard como noiva de Frey.

Gerda foi, de fato, mas outra donzela da raça dos gigantes a acompanhou. Foi assim que aconteceu:

Todos os habitantes de Asgard estavam diante do grande portão, esperando para dar as boas-vindas à noiva de Frey. Apareceu uma donzela gigante que não era Gerda. Ela vestia armadura completa.

– Eu sou Skadi – disse ela –, a filha de Thiassi. Meu pai encontrou a morte nas mãos dos habitantes de Asgard. Eu reivindico uma compensação.

– Qual compensação você queria, donzela? – perguntou Odin, sorrindo ao ver uma gigante postada tão ousadamente diante de Asgard.

– Quero um marido escolhido entre vocês. E eu mesma devo poder escolhê-lo.

Todos riram alto das palavras de Skadi. Então, Odin declarou:

– Vamos deixar você escolher um marido entre nós, mas você deve escolhê-lo pelos seus pés.

– Eu vou escolher da maneira que você disser – concordou Skadi fixando os olhos em Baldur, o mais belo de todos os habitantes de Asgard.

Eles colocaram uma bandagem em volta dos olhos dela, e os membros dos clãs divinos Æsir e Vanir sentaram-se em um semicírculo ao redor dela. Ao passar, ela se abaixava sobre cada um e colocava as mãos em seus pés. Por fim, ela encontrou um cujos pés eram tão bem formados que teve certeza de que era Baldur. Ela se levantou e disse:

– É este que escolho como marido.

Então os Æsir e os Vanir riram ainda mais. Eles tiraram a venda dos seus olhos e ela viu, não Baldur, o Belo, mas Niörd, o pai de Frey. Mas, à medida que Skadi olhava cada vez mais para Niörd, ela ficava cada vez mais satisfeita com sua escolha, pois Niörd era forte e tinha aparência nobre.

Esses dois, Niörd e Skadi, foram primeiro morar no palácio de Niörd à beira-mar. Contudo, os sons do mar acordavam Skadi muito cedo, e ela levou o marido para morar no topo da montanha, onde ela se sentia mais em casa. Ele, porém, não passava muito tempo longe do som do mar. Assim, para lá e cá, entre a montanha e o mar, Skadi e Niörd passaram a viver. Mas Gerda ficou em Asgard com Frey, seu marido, e os Æsir e os Vanir passaram a amá-la muito.

Heimdall e a pequena Hnossa: como as coisas vieram a ser

Hnossa, o filho de Freya e de Odur, o Perdido, era o mais jovem de todos os habitantes de Asgard. E porque havia sido profetizado que a criança reuniria seu pai e sua mãe, a pequena Hnossa era frequentemente levada para além da cidade dos deuses para ficar em Bifröst, a ponte arco-íris, para que ela pudesse saudar Odur, se ele retornasse a Asgard.

Em todos os palácios da cidade dos deuses, a pequena Hnossa era bem recebida: em Fensalir, os Salões das Brumas, onde Frigga, a esposa de Odin, fiava com fios de ouro; em Breidablik, onde Baldur, o Bem-Amado, vivia com sua bela esposa, a jovem Nanna; em Bilskirnir, a Casa Sinuosa, onde Thor e Sif moravam; e até mesmo no próprio palácio de Odin, Valaskjalf, que era todo coberto com escudos de prata.

O maior de todos os palácios era Gladsheim, construído com madeira dourada. Aqui eram realizados os banquetes dos deuses. Com frequência, a pequena Hnossa olhava para dentro e via Odin sentado à mesa, com um manto azul e um elmo brilhante em forma de águia na cabeça. Odin ficava sentado ali, sem comer nada, mas bebendo o vinho dos deuses, pegando comida da mesa e dando a Geri e Freki, os dois lobos que se deitavam ao seu lado.

E Hnossa adorava também sair pelo grande portão e ficar ao lado de Heimdall, o guardião da ponte do arco-íris. Lá, quando não havia ninguém para ela observar, a pequena se sentava ao lado de Heimdall e ouvia as maravilhas que ele contava.

Heimdall tinha nas mãos o chifre chamado Gialarhorn. Ele tocava o chifre para avisar os habitantes de Asgard que alguém estava cruzando a ponte do arco-íris. E Heimdall contou a pequena Hnossa como se treinara para conseguir ouvir a relva crescer e como podia ver tudo à sua volta em um raio de duzentos quilômetros. Ele podia enxergar tanto de noite como de dia, e nunca dormia. Heimdall tinha nove mães e se alimentava da força da terra e do frio do mar.

Enquanto ela se sentava ao lado dele, dia após dia, Heimdall contava à pequena Hnossa como todas as coisas começaram. Ele tinha vivido desde o início dos tempos e sabia de tudo.

– Antes de Asgard ser construída e antes de Odin viver, a terra, o mar e o céu estavam todos misturados: o que havia então era o Abismo dos Abismos. No norte ficava Niflheim, o Lugar Mortalmente Frio. No sul, Muspelheim, a Terra do Fogo. Em Niflheim, havia um caldeirão chamado Hveigelmer que derramava doze rios que desaguavam no Abismo dos Abismos. Ginnungagap, o Abismo dos Abismos, era cheio de gelo, pois as águas dos rios congelavam ao caírem nele. De Muspelheim vieram nuvens de fogo que transformaram o gelo em densas névoas. As névoas caíram novamente em gotas de orvalho, e a partir dessas gotas foi formado Ymir, o gigante ancião.

– Ymir, o gigante Ancião, viajou ao longo dos doze rios até encontrar outra forma viva, oculta nas brumas. Era a vaca gigante, Audhumla. Ymir se deitou ao lado dela e bebeu seu leite, e do leite que ela lhe deu, ele viveu. Outros seres foram formados a partir do orvalho que caía no chão. Elas eram as Filhas da Geada, e, também, de Ymir, gigantes como ele.

Heimdall e a pequena Hnossa: como as coisas vieram a ser

– Um dia Ymir viu Audhumla respirar sobre um penhasco de gelo e lamber com a língua o lugar em que ela respirava. Conforme sua língua percorria o local, ele viu que uma figura estava se formando. Não era como a forma de um gigante; era mais bem formado e mais bonito. Uma cabeça apareceu no penhasco e cabelos dourados derramaram-se sobre o gelo. Quando Ymir olhou para o ser que estava sendo formado, ele o odiou por sua beleza.

– Audhumla, a vaca gigante, continuou lambendo o lugar onde ela havia respirado. Por fim, um homem completamente formado saiu do penhasco. Ymir, o gigante ancião, o odiou tanto que o teria matado ali mesmo. Mas ele sabia que, se fizesse isso, Audhumla não o alimentaria mais com seu leite.

– Bur era o nome do homem que se formou no penhasco de gelo, Bur, o primeiro dos heróis. Ele também vivia do leite de Audhumla. Bur se casou com uma filha do gigante ancião e teve um filho. Mas Ymir e seus filhos odiavam Bur e finalmente conseguiram matá-lo.

– Então começou uma guerra entre Ymir e seus filhos e o os filhos e netos de Bur. Odin era um dos filhos do filho de Bur. Eles reuniu todos os seus irmãos, e eles conseguiram destruir Ymir e todos os seus descendentes – todos exceto um. Tão grande era Ymir que, quando ele foi morto, seu sangue verteu transformando-se em uma inundação destruidora, afogando seus filhos, exceto Bergelmir, que estava em um barco com sua esposa quando a enchente sobreveio e que navegou para o lugar que agora chamamos de Jötunheim, o Reino dos Gigantes.

– Odin e seus filhos pegaram o enorme corpo de Ymir – o maior corpo que já existiu – e o jogaram no Abismo dos Abismos, preenchendo todos os lugares vazios com ele. Eles retiraram os ossos do corpo e os empilharam, criando as montanhas. Os dentes foram transformados nas rochas do mundo; os pelos e cabelos de Ymir viraram bosques e florestas. Das sobrancelhas do gigante formaram o local onde os homens agora habitam, Midgard. E do crânio oco de Ymir, fizeram o céu.

– Odin, seus filhos e irmãos fizeram ainda mais do que isso. Pegaram as faíscas e as nuvens de labaredas que se erguiam de Muspelheim e as transformaram no Sol e na Lua e em todas as estrelas que estão no céu. Odin encontrou uma gigante sombria chamada Noite, cujo filho se chamava Dia, e ele deu aos dois cavalos para cavalgarem pelo céu. Noite ia em um cavalo chamado Hrimfaxe, Crina Congelante, e Dia montava um cavalo chamado Skinfaxe, Crina Brilhante. De Hrimfaxe caem as gotas que formam o orvalho.

– Então, Odin e seus filhos criaram uma raça de homens e mulheres e deram a eles Midgard para viverem. Anões feios cresceram e se espalharam pela Terra. Esses Odin fizera viver em lugares subterrâneos. Os elfos tiveram permissão de viver na Terra, mas deveriam cuidar dos riachos, da relva e das flores. Depois de uma guerra com os Vanir, Odin firmou a paz com eles, tomando Niörd como refém.

– Bergelmir, o gigante que escapou de se afogar no sangue de Ymir, teve filhos e filhas em Jötunheim. Eles odiavam Odin e seus filhos e lutaram contra eles. Quando Odin iluminou o mundo com o Sol e a Lua, eles ficaram muito irados e descobriram dois dos mais ferozes dos lobos de Jötunheim e os atiçaram para perseguir os astros. E ainda hoje o Sol e a Lua são perseguidos pelos lobos de Jötunheim.

Eram essas histórias maravilhosas que Heimdall contava a Hnossa, a mais jovem entre os habitantes de Asgard.

heimdall e a pequena hnossa: como as coisas vieram a ser

Frequentemente, a criança ficava com ele na ponte do arco-íris e via os deuses passarem, indo e vindo de Midgard: Thor, com sua coroa de estrelas, com o grande martelo Miölnir em suas mãos, com as luvas de ferro que ele usava quando manuseava Miölnir; Thor em sua carruagem puxada por duas cabras e usando o cinto que o tornava duas vezes mais forte; Frigga, com seu vestido de penas de falcão, voando veloz como um pássaro; o próprio Odin, montado em Sleipner, seu corcel de oito patas, vestido com armadura e elmo dourado, em forma de águia, e com sua lança Gungnir na mão.

Heimdall mantinha seu chifre no galho de uma grande árvore. Essa árvore se chamava Yggdrasil, disse ele à pequena Hnossa, e era uma maravilha para deuses e homens.

– Ninguém sabe quão antiga é Yggdrasil, e todos receiam falar da época futura em que ela será destruída. Yggdrasil tem três raízes. Uma se aprofunda até Midgard, outra, até Jötunheim, e a terceira, de Asgard. Sobre o salão de Odin, um ramo de Yggdrasil cresce, e é chamado de Ramo da Paz.

– Você vê Yggdrasil, pequena Hnossa, mas não conhece todas as suas maravilhas. Lá no alto, em seus galhos, quatro veados pastam. Eles sacodem seus chifres, e a água cai como chuva sobre a terra. No galho mais alto de Yggdrasil, tão alto que os próprios deuses mal podem ver, há uma águia que tudo sabe. No bico desta águia está empoleirado um falcão, um falcão que vê o que os olhos da águia não podem ver.

– A raiz de Yggdrasil que está em Midgard desce fundo até o lugar onde estão os mortos. Aqui há um dragão maligno chamado Nidhögg que constantemente rói a raiz da árvore, se esforçando para destruir Yggdrasil. E Ratatösk, o Esquilo da Intriga, corre para cima e para baixo de Yggdrasil, fazendo intrigas entre a águia acima e o dragão abaixo. Ele vai contar ao dragão como a águia está determinada a despedaçá-lo e volta para contar a águia como o dragão planeja devorá-la. As histórias que ele traz para Nidhögg tornam aquele dragão maligno ainda mais estimulado a destruir Yggdrasil para que possa alcançar a águia e devorá-la.

– Há dois poços nas raízes de Yggdrasil, um está acima e outro abaixo. Um está ao lado da raiz que cresce em Jötunheim. Este é o Poço do Conhecimento, e é guardado pelo velho Mímir, o Sábio. Quem quer que beba desse poço conhece todas as coisas que virão a existir. O outro poço é ao lado da raiz que cresce acima de Asgard. Ninguém pode beber deste poço. As três irmãs que são as normas sagradas o guardam e levam a água clara dele para regar Yggdrasil, para que a Árvore da Vida se mantenha verde e forte. Este poço, pequena Hnossa, é chamado de Poço de Urda.

E a pequena Hnossa soube que perto do Poço de Urda havia dois lindos cisnes brancos. Eles produziam uma música que os habitantes de Asgard ouviam com frequência. Mas Hnossa era ainda jovem demais para ouvir a música feita pelos cisnes do Poço de Urda.

As premonições de Odin

Dois corvos tinha Odin, o Pai de Todos: Hugin e Munin eram seus nomes. Eles voavam por todos os mundos todos os dias e, voltando para Asgard, pousavam nos ombros de Odin e contavam-lhe todas as coisas que tinham visto e ouvido. E uma vez, passou um dia todo sem que os corvos voltassem. Então Odin, no alto da torre Hlidskjalf, receou que seus pássaros não retornassem.

Mais um dia se passou e os corvos finalmente voltaram. Eles se sentaram, um em cada ombro de seu mestre. Então, o Pai de Todos dirigiu-se para o Salão do Conselho e ouviu o que Hugin e Munin tinham a dizer.

Os corvos falaram apenas de sombras e de maus agouros. Odin não informou os habitantes de Asgard sobre as coisas que eles lhe contaram. Mas Frigga, sua rainha, viu em seus olhos as sombras e pressentimentos do que estava por vir. E quando ele contou a ela sobre essas coisas, ela disse:

— Não lute contra o que deve acontecer. Vamos às sagradas nornas[3] que se sentam perto do Poço de Urda e ver se as sombras e os presságios permanecerão quando você olhar nos olhos delas.

E então aconteceu que Odin e os deuses deixaram Asgard e chegaram ao Poço de Urda, onde, sob a grande raiz de Yggdrasil, as três

---

[3] As nornas são divindades da mitologia nórdica responsáveis por moldar o curso dos destinos humanos. Elas podem ser malévolas ou benevolentes, causando tanto eventos trágicos, quanto benesses e proteção.

nornas estavam sentadas, com dois belos cisnes abaixo delas. Odin foi ter com elas, acompanhado de Tyr, o grande espadachim, Baldur, o mais belo e o mais amado dos deuses, e Thor, com seu martelo.

Uma ponte arco-íris ia de Asgard, a Cidade dos Deuses, a Midgard, o Mundo dos Homens. Mas outra ponte arco-íris, mais bela ainda, ia de Asgard até a raiz de Yggdrasil, sob a qual ficava o Poço de Urda. Esta ponte arco-íris raramente era vista pelos homens. E onde as pontas dos dois arco-íris se juntavam, ficava Heimdall, o Guardião do Caminho para o Poço de Urda.

– Abra o portão, Heimdall – pediu o Pai de Todos. – Abra o portão, pois hoje os deuses visitam as sagradas nornas.

Sem uma palavra, Heimdall abriu o portão que levava àquela ponte mais colorida do que qualquer arco-íris visto da Terra. Então Odin, Tyr e Baldur pisaram na ponte. Thor os seguiu, mas antes que seu pé fosse colocado na ponte, Heimdall colocou a mão sobre ele.

– Os outros podem ir, mas você não, Thor – disse Heimdall.

– O quê? Você poderia, Heimdall, me deter? – perguntou Thor.

– Sim, pois sou o Guardião do Caminho para as Nornas – explicou Heimdall. – Você com o poderoso martelo que carrega é muito pesado para este caminho. A ponte que eu guardo quebraria sob você e o martelo.

– Mesmo assim, irei visitar as nornas com Odin e meus camaradas – replicou Thor.

– Mas não desta forma, Thor. Eu não vou deixar a ponte ser quebrada sob o peso de você e seu martelo. Deixe seu martelo aqui comigo.

– Não, não – negou Thor. – Não vou deixar nas mãos de ninguém o martelo que defende Asgard. E não posso ser impedido de ir com Odin e meus camaradas.

— Há outro caminho para o Poço de Urda – disse Heimdall. – Veja estes dois grandes rios-nuvem, Körmt e Ermt. Você consegue seguir por eles? Eles são frios e sufocantes, mas o levarão ao Poço de Urda, onde estão as três sagradas nornas.

Thor olhou para os dois grandes rios de nuvens ondulantes. Era um péssimo jeito de ir, frio e sufocante. No entanto, se ele fosse por lá, poderia levar seu martelo. E assim, com o martelo no ombro, Thor se dirigiu ao Poço de Urda.

Odin, Tyr e Baldur já estavam no Poço de Urda, quando Thor, lutando para sair do rio-nuvem, molhado e sufocando, chegou. Lá estava Tyr, alto e belo, apoiado em sua espada, toda inscrita com runas mágicas; lá estava Baldur, sorrindo, com a cabeça baixa enquanto ouvia o murmúrio dos dois belos cisnes; e lá estava Odin, o Pai de Todos, vestido com seu manto azul com franjas de estrelas douradas, mas sem o elmo de águia e sem lança nas mãos.

As três nornas, Urda, Verdandi e Skulda, sentavam-se ao lado do poço, localizado em uma cavidade da grande raiz de Yggdrasil. Urda era velha e tinha cabelos brancos, e Verdandi era linda, enquanto Skulda mal podia ser vista, pois estava sentada bem para trás e seus cabelos caíam sobre o rosto e os olhos. Urda, Verdandi e Skulda: elas conheciam todo o passado, todo o presente e todo o futuro. Odin, olhando para elas, olhou dentro dos olhos de Skulda. Muito, muito tempo ele ficou olhando para as nornas com os olhos de um deus, enquanto os outros ouviam o murmúrio dos cisnes e a queda das folhas de Yggdrasil no Poço de Urda.

Olhando em seus olhos, Odin viu as sombras e pressentimentos sobre os quais Hugin e Munin lhe falaram tomarem forma e substância. Então, outras cruzaram a Ponte do Arco-Íris. Eram Frigga, Sif e Nanna, as esposas de Odin, Thor e Baldur.

Frigga olhou para as nornas. Ao fazer isso, ela lançou um olhar de amor e tristeza para Baldur, seu filho, e então recuou e colocou a mão na cabeça de Nanna.

Odin deixou de contemplar as nornas e olhou para Frigga, sua esposa majestosa.

– Deixarei Asgard por um tempo, esposa – declarou ele.

– Sim – concordou Frigga. – Muito precisa ser feito em Midgard, o Mundo dos Homens.

– Eu transformarei todo o conhecimento que tenho em sabedoria – disse Odin –, para que as coisas que estão para acontecer sejam transformadas da melhor forma possível.

– Você vai ao Poço do Mímir – disse Frigga.

– Sim – concordou Odin.

– Vá, então, meu marido.

Em seguida, os deuses e deusas retornaram pela porte arco-íris, exceto Thor que precisou voltar lutando através dos rios-nuvens Körmt e Ermt, com o martelo Miölnir em seu ombro.

A pequena Hnossa, a mais jovem dos habitantes de Asgard, estava lá, de pé ao lado de Heimdall, o vigia dos deuses e o Guardião da Ponte para o Poço de Urda, quando Odin e Frigga, sua rainha, passaram pelo grande portão com as cabeças baixas.

– Amanhã – Hnossa ouviu Odin dizer –, amanhã serei Vegtam, o andarilho, nos caminhos de Midgard e Jötunheim.

PARTE II

Odin, o Andarilho

Odin vai ao Poço de Mímir: seu sacrifício pela sabedoria

Então Odin, não mais montado em Sleipner, seu corcel de oito pernas, não usando mais sua armadura dourada e seu capacete de águia, e nem mesmo sua lança, viajou por Midgard, o Mundo dos Homens, e fez seu caminho em direção a Jötunheim, o Reino dos gigantes.

Ele não era mais chamado de Odin, O Pai de Todos, mas Vegtam, o Andarilho. Ele usava uma capa azul-escura e carregava um cajado de viajante nas mãos. E agora, enquanto se dirigia para o Poço de Mímir, que ficava perto de Jötunheim, ele se deparou com um gigante montado em um grande veado.

Odin parecia um homem para os homens e um gigante para os gigantes. Ele foi ao lado do gigante em seu grande veado e os dois conversaram.

– Quem é você, irmão? – Odin perguntou ao gigante.

– Eu sou Vafthrudner, o mais sábio dos gigantes – respondeu aquele que estava montando no veado. Odin o conheceu, então. Vafthrudner era de fato o mais sábio dos gigantes, e muitos se esforçaram para obter sabedoria dele. Mas aqueles que iam até ele tinham que responder as charadas que Vafthrudner lhes colocava, e se eles não respondessem, o gigante decepava suas cabeças.

– Eu sou Vegtam, o andarilho – disse Odin – e sei quem é você, Vafthrudner. Eu me esforçaria para aprender algo de você.

O gigante riu, mostrando os dentes.

– Estou pronto para fazer meu jogo com você. Você sabe o que apostaremos? Minha cabeça para você, se eu não puder responder a qualquer pergunta que fizer. E se você não puder responder a qualquer pergunta que eu fizer, então sua cabeça vem para mim. E agora vamos começar.

– Estou pronto – disse Odin.

– Então me diga – começou Vafthrudner –, o nome do rio que separa Asgard de Jötunheim?

– Ifling é o nome daquele rio – respondeu Odin. – Ifling é mortalmente frio, mas nunca se congela.

– Respondeu corretamente, ó andarilho – disse o gigante. – Mas ainda precisa responder a outras perguntas. Quais são os nomes dos cavalos que Dia e a Noite cavalgam pelo céu?

– Skinfaxe e Hrimfaxe – Odin respondeu. Vafthrudner ficou surpreso ao ouvir alguém dizer os nomes que eram conhecidos apenas pelos deuses e pelo mais sábio dos gigantes. Havia apenas mais uma pergunta que ele poderia fazer antes que chegasse a vez do estranho.

– Diga-me qual é o nome da planície na qual a última batalha será travada?

– A planície de Vigard – respondeu Odin. – A planície que tem 160 quilômetros de comprimento e 160 de largura.

Agora era a vez de Odin fazer perguntas a Vafthrudner.

– Quais serão as últimas palavras que Odin irá sussurrar no ouvido de Baldur, seu querido filho? – perguntou.

Muito surpreso ficou o gigante Vafthrudner com essa pergunta. Ele saltou do veado e olhou atentamente para o estranho.

– Apenas Odin sabe quais serão suas últimas palavras para Baldur – disse ele – e apenas Odin teria feito essa pergunta. Você é

Odin, ó andarilho, e sua pergunta eu não posso responder.

– Então – disse Odin –, se quiser manter sua cabeça, responda-me qual o preço que Mímir vai pedir por um gole do Poço da Sabedoria que ele guarda?

– Ele pedirá o seu olho direito como preço, ó Odin – replicou Vafthrudner.

– Será que ele não pode pedir um preço menor?

– Não. Muitos vieram a ele para obter um gole do Poço da Sabedoria, mas ninguém ainda pagou o preço que Mímir pede. Eu respondi sua pergunta, Odin. Agora desista do seu direito sobre a minha cabeça e deixe-me seguir meu caminho.

– Eu desisto de minha reivindicação sobre sua cabeça – disse Odin. Então Vafthrudner, o mais sábio dos gigantes, seguiu seu caminho, montado em seu grande cervo.

Era um preço terrível que Mímir pedia por um gole do Poço da Sabedoria, e Odin, O Pai de Todos, ficou muito preocupado quando isso lhe foi revelado. Seu olho direito! Para sempre ficar sem a visão de seu olho direito! Quase desistiu de sua busca por sabedoria.

Ele nem voltou para Asgard, nem foi para o Poço de Mímir. Voltou-se em direção ao sul e viu Muspelheim, onde estava Surtur com a Espada Flamejante, uma figura terrível, que um dia se juntaria aos gigantes em sua guerra contra os deuses. E quando ele virou para o norte, ele ouviu o rugido do caldeirão Hvergelmer enquanto ele se derramava de Niflheim, o lugar de escuridão e pavor. E Odin sabia que o mundo não deveria ser deixado entre Surtur, que o destruiria com fogo, e Niflheim, que o levaria de volta às Trevas e ao Nada. Ele, o mais velho dos deuses, teria que ganhar a sabedoria que ajudaria a salvar o mundo.

E, então, com o rosto severo diante de sua perda e dor, Odin,

Odin vai ao Poço de Mímir: seu sacrifício pela sabedoria

O Pai de Todos, foi em direção ao poço de Mímir. Ele ficava sob a grande raiz de Yggdrasil, que crescia a partir de Jötunheim. E lá estava Mímir, o Guardião do Poço da Sabedoria, com seus olhos profundos voltados para as águas profundas. E Mímir, que bebia todos os dias do Poço da Sabedoria, sabia quem estava diante dele.

– Salve, Odin, o mais velho dos deuses! – saudou ele.

Então Odin fez reverência a Mímir, o mais sábio dos seres.

– Eu quero beber do seu poço, Mímir – disse Odin.

– Há um preço a ser pago. Todos os que vieram aqui para beber se esquivaram de pagar esse preço.

– Não vou recuar diante do preço que deve ser pago, Mímir – declarou Odin.

– Então beba – disse Mímir e encheu um grande chifre com água do poço e o deu a Odin.

Odin pegou o chifre com as duas mãos e bebeu e bebeu. E, enquanto bebia, todo o futuro ficou claro para ele. Ele viu todas as tristezas e problemas que cairiam sobre os homens e os deuses. Mas viu, também, porque as tristezas e problemas tinham que sobrevir e viu como poderiam ser suportados para que deuses e homens, sendo nobres nos dias de tristeza e angústia, deixassem no mundo uma força que um dia – um dia que realmente ainda estava longe – destruiria o mal que traz terror, infelicidade e desespero ao mundo.

Então, depois de beber do grande chifre que Mímir lhe dera, levou a mão ao rosto e arrancou o olho direito. Terrível foi a dor que Odin, O Pai de Todos, suportou. Mas ele não gemeu, nem lamuriou. Ele abaixou a cabeça e colocou a capa diante do rosto, enquanto Mímir pegou o olho e o deixou afundar nas profundas águas do Poço da Sabedoria. E ali ficou o olho de Odin, brilhando através das águas, um sinal para todos os que vinham àquele lugar do preço que o pai dos deuses pagou por sua sabedoria.

Odin enfrenta um homem mau

Certa vez, quando ainda não tinha bebido do poço de Mímir, Odin viveu no mundo dos homens. Frigga, sua rainha, veio com ele, e eles viveram em uma ilha deserta e eram conhecidos como Grimner, o pescador, e sua esposa.

Sempre Odin e Frigga cuidavam dos filhos dos homens, olhando para saber quais eles iriam promover e treinar para que pudessem ter a força e o espírito para salvar o mundo do poder dos gigantes. E enquanto estavam na ilha deserta, Odin e Frigga viram os dois filhos do rei Hrauding, e ambos acharam que o espírito dos heróis poderia ser fomentado neles. Odin e Frigga fizeram planos para trazer as crianças até eles, para que estivessem sob seus cuidados e ensinamentos. Um dia, os meninos foram pescar. Uma tempestade veio e levou seu barco nas rochas da ilha onde Odin e Frigga viviam.

Odin e Frigga os trouxeram para sua cabana e disseram que iriam cuidar deles e treiná-los durante o inverno e que na primavera eles construiriam um barco que os levaria de volta ao país de seu pai.

Assim, Frigga favoreceu um dos meninos e Odin, o outro. Frigga pensava bem do menino mais velho, Agnar, que tinha uma voz e maneiras calmas e gentis. Odin preferiu treinar o menino mais novo. Geirrod, era seu nome, e ele era forte e apaixonado, com uma voz alta e potente.

Odin ensinou Geirrod a pescar e a caçar. Ele o fez escalar os penhascos mais altos e pular sobre os abismos mais largos. Levou-o ao covil do urso e o obrigou a lutar por sua vida com a lança que fizera para ele. Agnar também mostrou habilidade e ousadia. Mas Geirrod o venceu em quase todas as tentativas.

Agnar ficava frequentemente com Frigga. Ficava ao lado dela enquanto ela fiava, ouvindo as histórias que ela contava e fazendo perguntas que lhe traziam cada vez mais sabedoria. E Agnar ouviu falar de Asgard e de seus habitantes e de como eles protegiam Midgard, o Mundo dos Homens, dos gigantes de Jötunheim. Agnar, embora não falasse, dizia a si mesmo que daria a sua vida, todas as suas forças e todos os seus pensamentos para ajudar a obra dos deuses.

A primavera chegou e Odin construiu um barco para Geirrod e Agnar. Eles podiam voltar agora para o seu país. Antes de partirem, Odin disse a Geirrod que um dia ele iria visitá-lo.

– E não deixe que seu orgulho o impeça de receber um pescador em seu salão, Geirrod – aconselhou Odin. – Um rei deve bem-receber mesmo os mais pobres que vêm ao seu salão.

– Serei um herói, sem dúvida – respondeu Geirrod – e também seria rei, só que Agnar nasceu antes de mim.

Agnar se despediu de Frigga e de Odin, agradecendo-os pelo cuidado que tiveram com Geirrod e com ele. Olhou nos olhos de Frigga e disse a ela que se esforçaria para aprender como ele poderia lutar na batalha pelos deuses.

Os dois entraram no barco e remaram. Eles chegaram perto do reino de seu pai, o rei Hrauding, e viram o castelo. Então Geirrod fez uma coisa terrível. Ele virou o barco de volta para o mar e jogou os remos fora. Como ele estava bem-preparado para nadar no mar mais violento e escalar os penhascos mais altos, mergulhou na água e avançou em direção à costa. E Agnar, deixado sem remos, ficou à deriva no mar.

Geirrod escalou os altos penhascos e chegou ao castelo de seu pai.

O rei Hrauding, que achava que tinha perdido seus dois filhos, ficou muito feliz em vê-lo. Geirrod disse a Agnar que ele havia caído do barco no caminho de volta e que havia se afogado. Mesmo assim, o rei Hrauding ficou feliz por pelo menos um ter sobrevivido e voltado. Ele colocou Geirrod ao lado dele no trono, e quando morreu Geirrod foi feito rei.

E agora Odin, tendo bebido do Poço de Mímir, passou pelos reinos dos homens, julgando reis e pessoas comuns de acordo com a sabedoria que havia adquirido. Ele finalmente chegou ao reino que Geirrod governava. Odin pensou que, de todos os reis que julgou nobres, Geirrod certamente seria o mais nobre de todos.

Ele foi ao salão do rei como um andarilho, cego de um olho, vestindo sua capa azul-escura e com um cajado de viajante nas mãos. Ao se aproximar da casa do rei, homens montados em cavalos negros vieram atrás dele. O primeiro dos homens não virou o cavalo quando se aproximou do andarilho, mas continuou cavalgando, quase o derrubando no chão.

Ao se aproximarem da casa do rei, os homens nos cavalos negros gritaram por servos. Apenas um servo estava no estábulo. Ele saiu e pegou o cavalo do primeiro homem. Então os outros chamaram o andarilho para cuidar de seus cavalos. Ele teve que segurar os estribos para que eles desmontassem.

E Odin viu em sua sabedoria que tudo desvendava quem era o primeiro homem. Era o rei Geirrod. E ele viu quem era o homem que servia no estábulo: era Agnar, irmão de Geirrod. Pela sabedoria que adquiriu, ele sabia que Agnar havia voltado ao reino de seu pai disfarçado de servo, e sabia que Geirrod não sabia quem era esse servo.

Eles foram para o estábulo juntos. Agnar pegou o pão, partiu-o e deu um pedaço ao andarilho. E deu a ele, também, palha para se sentar. Mas logo Odin disse:

– Eu me sentaria perto do fogo no salão do rei e comeria carne.

– Não, fique aqui – disse Agnar. – Vou lhe dar mais pão e um cobertor para se cobrir. Não vá até a porta da casa do rei, pois o rei está zangado hoje e pode lhe castigar.

– Como? – indignou-se Odin. – Um rei que afasta um andarilho que bate à sua porta! Não pode ser que ele faria isso!

– Hoje ele está com raiva – insistiu Agnar. Novamente ele implorou que não fosse até a porta da casa do rei. Mas Odin se levantou da palha em que estava sentado e foi até a porta.

Um porteiro, corcunda e de braços compridos, postava-se à porta.

– Eu sou um andarilho e gostaria de descansar e comer no salão do rei – disse Odin.

– Não no salão deste rei – respondeu o corcunda. Ele teria barrado a porta para Odin, mas a voz do rei o chamou. Odin então entrou no salão e viu o rei à mesa com seus amigos, todos de barba escura e de aparência cruel. E quando Odin olhou para eles, soube que o garoto a quem ele havia treinado na nobreza havia se tornado um rei entre os ladrões.

– Já que você entrou no corredor onde comemos, cante para nós, andarilho – gritou um dos homens morenos.

– Sim, eu cantarei para vocês – concordou Odin. Então ele ficou entre dois dos pilares de pedra no salão e cantou uma canção reprovando o rei por ter caído em um modo de vida perverso e denunciando todos por seguirem os caminhos cruéis dos ladrões.

– Agarrem-no – ordenou o rei, quando a canção de Odin terminou. Os homens se lançaram sobre Odin e o prenderam com correntes aos pilares de pedra do salão.

– Ele veio a este salão em busca de calor, e calor ele terá – disse Geirrod. Ele chamou seus servos para amontoar lenha ao seu redor. Então o rei, com sua própria mão, colocou uma tocha acesa na madeira e as chamas arderam ao redor do andarilho.

As labaredas se erguiam em volta dele, mas o fogo não queimou a carne do Pai de Todos. O rei e os amigos do rei ficaram em volta, observando com deleite o fogo aceso ao redor de um homem vivo. A lenha foi toda consumida, e Odin ficou parado ali com seu terrível olhar fixo naqueles homens duros e cruéis.

Então, eles se retiraram, deixando-o acorrentado aos pilares do corredor. Odin poderia ter quebrado as correntes e derrubado os pilares, mas ele queria ver o que mais aconteceria na casa do rei. Os servos receberam ordens de não trazer comida ou bebida para ele, mas ao amanhecer, quando não havia ninguém por perto, Agnar veio até ele com um chifre de cerveja e deu-lhe de beber.

Na noite seguinte, quando o rei voltou de seus saques, e quando ele e seus amigos, sentados às mesas, comeram como lobos, ele ordenou que gravetos fossem colocados em volta de Odin. E novamente assistiram com alegria o fogo brincando ao redor de um homem vivo. E, como antes, Odin ficou ileso, e seu olhar firme e terrível fez o rei odiá-lo ainda mais. E o dia todo ele foi mantido acorrentado, e os servos foram proibidos de trazer-lhe comida ou bebida. Ninguém sabia que um chifre de cerveja foi trazido para ele ao amanhecer.

E noite após noite, por oito noites, isso continuou. Então, na nona noite, quando as fogueiras ao seu redor foram acesas, Odin ergueu a voz e começou a cantar uma canção.

Sua música ficou cada vez mais alta, e o rei e seus amigos e os servos daquele reino tiveram que parar e ouvi-la. Odin cantou sobre Geirrod, o rei; como os deuses o protegeram, dando-lhe força e habilidade, e como, em vez de fazer um uso nobre dessa força e habilidade, ele se tornou como uma besta selvagem. Então, cantou sobre como a vingança dos deuses estava prestes a cair sobre aquele rei desprezível.

As chamas morreram e Geirrod e seus amigos viram diante deles, não um andarilho sem amigos, mas alguém mais majestoso do que qualquer rei da Terra. As correntes caíram de seu corpo e ele avançou em direção aos homens do rei. Geirrod atacou-o com sua espada tentando matá-lo. A espada o atingiu, mas Odin permaneceu ileso.

– Sua vida se esgota; os deuses estão irados com você.

Tendo dito isto, Odin cantou e, com medo de seu olhar terrível, Geirrod e sua companhia encolheram-se. E à medida que se encolheram, foram transformados em feras, nos lobos que percorrem as florestas.

E Agnar avançou, e Odin declarou-o rei. Todo o povo ficou feliz pelo novo rei, pois haviam sido oprimidos por Geirrod em seu reinado cruel.

Odin conquista o hidromel mágico para os homens

Foram os anões que criaram o hidromel mágico e foram os gigantes que o esconderam. Mas Odin o trouxe do lugar onde estava escondido e o deu aos filhos dos homens. Aqueles que bebiam do hidromel mágico tornavam-se muito sábios. E não apenas isso: colocavam sua sabedoria em palavras tão belas que todos que as ouvissem aprendiam e se lembravam.

Os anões fabricaram o hidromel mágico por meio da crueldade e da vilania. Eles o fermentaram com o sangue de um homem. O homem era Kvasir, o poeta. Ele tinha sabedoria e dizia palavras tão belas, que o que dizia era considerado e lembrado por todos.

Os anões levaram Kvasir para suas cavernas e o mataram. Então, derramaram seu sangue em três potes e misturaram mel. A partir dessa mistura prepararam o hidromel mágico.

Tendo matado um homem, os anões tornaram-se cada vez mais ousados. Eles saíram de suas cavernas e viajaram por Midgard. Foram para Jötunheim e começaram a pregar seus truques malignos no mais inofensivo dos gigantes.

Encontraram um gigante muito simplório. Gilling era seu nome. Eles persuadiram Gilling a remar com eles para o mar em um barco. Então, os dois mais astutos dos anões, Galar e Fialar, conduziram o barco até uma rocha e o arremessaram contra ela. O barco se partiu. Gilling, que não sabia nadar, morreu afogado. Os anões usaram os pedaços do barco e desembarcaram em segurança.

Galar e Fialar então pensaram em uma nova crueldade. Levaram seu bando de anões para a casa de Gilling e gritaram para sua esposa que Gilling estava morto. A esposa do gigante começou a chorar. Desesperada, ela saiu correndo de casa chorando e batendo palmas. Galar e Fialar haviam subido no telhado da casa e, quando a viram, lançaram uma pedra de moinho em sua cabeça, matando-a. Cada vez mais os anões ficavam maravilhados com a destruição que estavam causando.

Ficaram tão insolentes que compunham canções e as cantavam. Eram canções sobre como eles haviam matado Kvasir, o poeta, e Gilling, o gigante, e sua esposa. Permaneceram próximos a Jötunheim, atormentando todos os que podiam atormentar e se gabando de serem poderosos. Mas Suttung, irmão de Gilling, foi em seu encalço em busca de vingança.

Suttung não era inofensivo e simples como Gilling. Era astuto e cobiçoso. Assim que os encontrou, os anões não tiveram chance de escapar. Ele os capturou e os deixou sobre uma rocha no mar, uma rocha que a maré cobriria.

O gigante ficou de pé na água, sendo mais alto do que a rocha, e a maré, quando subiu, não subiu acima de seus joelhos. Ele ficou ali olhando os anões enquanto a água se elevava, e eles ficavam cada vez mais apavorados.

– Tire-nos da rocha, bom Suttung – imploraram. – Tire-nos da rocha e lhe daremos ouro e joias. Tire-nos da rocha e nós lhe daremos um colar tão valioso quanto Brisingamen[4].

---

[3] O maravilhoso colar que Freya ganhou dos anões em troca de uma noite de sexo.

Mas o gigante Suttung apenas riu deles. Ele não precisava de ouro ou joias.

Então Fialar e Galar gritaram:

– Tire-nos da rocha e lhe daremos os potes do hidromel mágico que preparamos.

– O hidromel mágico – repetiu Suttung. – Isso é algo que ninguém mais tem. Seria bom obtê-lo, pois pode nos ajudar na batalha contra os deuses. Sim, vou aceitar o hidromel mágico deles.

Ele tirou o bando de anões da rocha, mas deteve Galar e Fialar enquanto os outros entraram em suas cavernas e trouxeram os jarros do hidromel mágico. Suttung pegou o hidromel e o levou para uma caverna em uma montanha perto de sua casa. E assim aconteceu que o hidromel mágico, fabricado pelos anões através da crueldade e da vilania, caiu nas mãos dos gigantes. E a história agora conta como Odin, o mais velho dos deuses, naquela época viajando pelo mundo como Vegtam, o andarilho, tirou o hidromel mágico das mãos de Suttung e o levou para o mundo dos homens.

Suttung tinha uma filha chamada Gunnlöd que, por sua bondade e beleza, era como Gerda e Skadi, as donzelas gigantes que os habitantes de Asgard favoreciam. Suttung, para que pudesse ter um guardião para o hidromel mágico, encantou Gunnlöd, transformando-a, de uma bela donzela gigante, em uma bruxa com dentes longos e unhas afiadas. Ele a trancou na caverna onde os jarros do hidromel mágico estavam escondidos.

Odin ouviu falar da morte de Kvasir a quem ele homenageava acima de todos os homens. Temendo vingança, os anões que o mataram se fecharam em suas cavernas para nunca mais sair para o Mundo dos Homens. E então Odin se propôs a obter o hidromel mágico para que pudesse dá-lo aos homens, para que, provando-o, tivessem sabedoria.

Odin conquista o hidromel mágico para os homens

Como Odin ganhou o hidromel mágico da caverna coberta de pedras onde Suttung o escondeu, e como ele quebrou o encantamento que pairava sobre Gunnlöd a filha de Suttung, é uma história frequentemente contada em torno das fogueiras dos homens.

Nove fortes escravos estavam ceifando um campo enquanto um andarilho passava vestido com uma capa azul-escura e trazendo um cajado. Um dos escravos falou com o andarilho:

– Diga a eles, na casa de Baugi, lá em cima, que não poderei mais ceifar até que uma pedra de amolar, para afiar minha foice, me seja enviada.

– Eis aqui uma pedra de amolar – disse o andarilho, tirando uma do seu cinto. O escravo que havia falado afiou sua foice com ela e recomeçou a ceifar. A grama caiu diante de sua foice como se o vento a tivesse cortado.

– Dê-nos a pedra de amolar, dê-nos a pedra de amolar – pediram os outros escravos. O andarilho jogou a pedra de amolar entre eles, e os deixou brigando por causa dela. Depois, continuou seu caminho.

O andarilho chegou à casa de Baugi, irmão de Suttung. Lá, ele pôde descansar e, na hora do jantar, recebeu comida na mesa do dono da casa. E enquanto comia com o gigante, um mensageiro vindo do campo entrou.

– Baugi – começou o mensageiro –, seus nove escravos estão todos mortos. Eles se mataram com suas foices, lutando no campo por uma pedra de amolar. Não há escravos agora para fazer seu trabalho.

– O que devo fazer, o que devo fazer? – afligiu-se Baugi, o gigante. – Meus campos não serão ceifados agora e não terei feno para alimentar meu gado e meus cavalos no inverno.

— Posso trabalhar para você – disse o andarilho.

— O trabalho de um só homem não me servirá de nada – disse o gigante. – Preciso do trabalho de nove homens.

— Farei o trabalho de nove homens – afirmou o andarilho. – Venha amanhã comigo e provarei.

No dia seguinte, Vegtam, o andarilho, foi ao campo de Baugi. Ele fez o trabalho que os nove escravos faziam em um dia.

— Fique comigo até o inverno – pediu Baugi – e eu lhe recompensarei com generosidade.

Então Vegtam ficou na casa do gigante e trabalhou nos seus campos, e quando todo o trabalho foi feito, Baugi disse a ele:

— Fale agora e me diga que recompensa devo dar a você.

— A única recompensa que desejo de você – disse Vegtam – é um gole do hidromel mágico.

— O hidromel mágico? – espantou-se Baugi. – Não sei onde está, nem como consegui-lo.

— Seu irmão Suttung está com ele. Vá até ele e reivindique um gole do hidromel mágico para mim.

Baugi foi até Suttung. Mas quando ele ouviu o que Baugi tinha vindo buscar, Suttung se voltou contra seu irmão. Furioso, disse:

— Um gole do hidromel mágico? A ninguém darei um gole do hidromel mágico. Não encantei minha filha Gunnlöd para que ela o vigiasse? E você me diz que um andarilho que fez o trabalho de nove homens para você pede um gole do hidromel mágico em troca! Você é um gigante tão tolo quanto Gilling! Quem poderia ter feito esse trabalho para você, e quem exigiria tal pagamento, senão um de nossos inimigos, os Æsir? Afaste-se de mim agora e nunca mais me venha falar sobre o hidromel mágico.

Baugi voltou para sua casa e disse ao Andarilho que

Suttung não daria nenhum hidromel mágico.

– Eu mantenho meu preço – disse Vegtam, o andarilho. – E você vai ter que me pagar. Venha comigo agora e me ajude a conseguir o que desejo.

Assim, ele fez Baugi levá-lo até o lugar onde o hidromel mágico estava escondido – uma caverna na montanha. Em frente a essa caverna havia uma grande pedra.

– Não podemos mover essa pedra, nem a atravessar – disse Baugi.

O andarilho puxou uma broca do cinto.

– Isto vai perfurar a rocha, se houver força a manipulando. Você tem a força, gigante. Comece agora.

Baugi pegou a broca nas mãos e empregou todas as suas forças, enquanto o andarilho ficou apoiado em seu cajado, calmo e majestoso em seu manto azul.

– Fiz um buraco muito, muito fundo. Ele atravessa a rocha – disse Baugi, por fim.

O andarilho foi até o buraco e soprou nele. A poeira da rocha voou de volta para seu rosto.

– Então, essa é a sua força, gigante? – caçoou ele. – Você não chegou nem ao meio da rocha. Trabalhe de novo.

Baugi pegou a broca novamente e cavou cada vez mais fundo na rocha. E ele soprou nela, e a poeira não voltou. Então ele olhou para o andarilho para ver o que ele faria; seus olhos se tornaram ferozes, e ele segurou a broca na mão como se fosse uma faca.

– Olhe para cima, para o alto da rocha – disse o andarilho. Quando Baugi olhou para cima, o andarilho se transformou em uma cobra e deslizou para dentro do buraco na rocha. Baugi o golpeou com a verruma, na esperança de matá-lo, mas a serpente escapou.

Atrás da pedra havia uma câmera toda iluminada pelos cristais brilhantes encrustados na rocha. Nesse lugar havia uma bruxa de aparência doentia, com dentes longos e unhas afiadas. Lágrimas caíam de seus olhos.

– Ó, jovem e belo – ela cantava. – Ó visão de homens e mulheres, triste, triste para mim é que você está perto, e que eu tenho apenas esta caverna fechada e esta forma horrível.

Uma cobra deslizou pelo chão.

– Oh, quem me dera você pudesse me matar – chorou a bruxa. A cobra passou por ela. Então ela ouviu uma voz falar baixinho:

– Gunnlöd, Gunnlöd! – Ela olhou em volta e, atrás dela, havia um homem majestoso, vestido com uma capa azul-escura. Era Odin, o mais velho dos deuses.

– Você veio para tomar o hidromel mágico que meu pai me colocou aqui para guardar! – gritou ela. – Você não o terá. Em vez disso, vou derramá-lo na terra sedenta da caverna.

– Gunnlöd – disse ele, e foi até ela. Ela olhou para ele e sentiu o sangue vermelho da juventude voltar para suas faces. Ela colocou as mãos com suas unhas afiadas sobre o peito e sentiu as unhas cravarem em sua carne.

– Salve-me dessa feiura – gemeu ela.

– Eu vou salvá-la – disse Odin. Ele foi até ela. Pegou as mãos dela e as segurou, beijando-a na boca. Todas as marcas da maldição sumiram dela. Ela não era mais encurvada, mas alta e bem torneada. Seus olhos eram, agora, de um azul profundo. Sua boca ficou vermelha e suas mãos suaves e belas. Ela se tornou tão bela quanto Gerda, a donzela gigante com quem Frey havia se casado.

Eles ficaram olhando um para o outro, então se sentaram lado a lado e conversaram baixinho – Odin, o mais velho dos deuses, e Gunnlöd, a bela donzela gigante.

Ela lhe deu os três frascos de hidromel mágico e lhe disse que sairia da caverna com ele. Eles ficaram juntos por três dias. Odin, com sua sabedoria, encontrou caminhos e passagens ocultas que conduziam para fora da caverna e trouxe Gunnlöd para a luz do dia.

E trouxe também os jarros do hidromel mágico, o hidromel cujo sabor dá sabedoria expressa em palavras tão belas que todos se encantam e delas se lembram. E Gunnlöd, que havia provado um pouco do hidromel mágico, vagou pelo mundo cantando sobre a beleza e o poder de Odin e sobre seu amor por ele.

Odin conta à Vidar, seu filho calado, o segredo de suas ações

Não foi apenas para gigantes e homens que Odin se mostrou nos dias em que passou por Jötunheim e Midgard como Vegtam, o andarilho. Ele conheceu e falou com os deuses também, os quais viviam longe de Asgard e com outros que foram para Midgard e para Jötunheim.

Quem morava longe de Asgard era Vidar, o filho silencioso de Odin. Longe em um local ermo, com galhos e grama alta crescendo ao seu redor, Vidar sentou-se. E perto dele um cavalo pastava encilhado, um cavalo sempre pronto para viajar.

E Odin, agora Vegtam, o andarilho, entrou naquele lugar desolado e falou com Vidar, o Deus Silencioso.

– Ó Vidar, o mais estranho de todos os meus filhos; você é o deus que viverá quando todos nós tivermos morrido; o deus que levará a memória dos habitantes de Asgard a um mundo que não conhecerá seus poderes. Ó Vidar, eu bem sei porque você mantém o cavalo sempre pronto para uma viagem rápida: é para que possa saltar sobre ele e cavalgar sem controle, um filho correndo para vingar seu pai.

– Apenas para você, ó Vidar, o Silencioso, vou falar dos

segredos de minhas ações. Quem, a não ser você, pode saber por que eu, Odin, o mais velho dos deuses, pendurei-me na árvore Yggdrasil nove dias e nove noites, com minha própria lança me paralisando? Pendurei-me naquela árvore, açoitado pelos ventos, para que pudesse aprender a sabedoria que me daria poder nos nove mundos. Na nona noite, as Runas da Sabedoria apareceram diante de meus olhos e, descendo da árvore, tomei-as para mim.

– E eu direi por que meus corvos voam até você carregando em seus bicos restos de couro. É para que você possa fazer uma sandália, com a qual poderá pisar na mandíbula de um poderoso lobo e rasgá-la.

– E aconselhei os habitantes da Terra a cortar as unhas das mãos e dos pés de seus mortos, para que os gigantes não fizessem para si o navio Naglfar em que navegariam no dia de Ragnarök, o Crepúsculo dos Deuses.

– Mais, Vidar, direi a ti. Eu, vivendo entre os homens, casei-me com a filha de um herói. Meu filho viverá como um mortal entre os mortais. Sigi seu nome será. Dele surgirão heróis que irá encher Valhalla, o meu salão em Asgard, com heróis que irão combater no dia de nossa luta com os gigantes e com Surtur[5] da Espada Flamejante.

Por muito tempo Odin ficou naquele lugar silencioso comungando com seu filho silencioso, Vidar, que sobreviveria os habitantes de Asgard e que traria para outro dia e outro mundo a memória dos Æsir e dos Vanir. Odin falou por mui-

---

[5] Na mitologia nórdica, Surtur, "Negro", é um jötunn. Surtur é uma figura importante durante os eventos de Ragnarök. Com sua espada flamejante, ele irá para a batalha contra os Æsir e lutará contra o deus Frey, e as chamas que ele produzir engolirão a Terra.

to tempo com ele, e então atravessou o campo desolado onde crescia apenas grama e arbustos e onde o cavalo pastava, pronto para a viagem repentina. Ele foi em direção à praia, onde os Æsir e os Vanir estavam agora reunidos para o banquete que o velho Ægir, o rei gigante do mar, havia oferecido a eles.

Thor e Loki na cidade dos gigantes

Todos, exceto alguns dos habitantes de Asgard, tinham vindo para a festa oferecida por Ægir, o Velho, o rei gigante do mar. Frigga, a rainha e esposa de Odin, estava lá, e Frey e Freya; Iduna, que guardava as maçãs da juventude, e Bragi, seu marido; Tyr, o grande espadachim e Niörd, o deus do mar, Skadi, que se casou com Niörd e cujo ódio por Loki era feroz, e Sif, cujo cabelo dourado já fora cortado por Loki, o diabólico. Thor e Loki também estavam lá. Os habitantes de Asgard, reunidos no salão de Ægir, esperavam por Odin.

Antes da chegada de Odin, Loki alegrou o grupo com as histórias que contou zombando de Thor. Loki há muito tempo estava livre da tira com que o anão Brock costurou seus lábios. E Thor havia esquecido o mal que ele havia feito a Sif. Loki tinha estado com Thor em suas andanças por Jötunheim e sobre essas andanças ele agora contava histórias zombeteiras.

Ele contou como vira Thor em sua carruagem de bronze puxada por duas cabras atravessar Bifröst, a Ponte do Arco-Íris. Nenhum dos Æsir ou Vanir sabia em que aventura Thor se meteu. Mas Loki o seguiu, e Thor o manteve em sua companhia.

Enquanto eles viajavam na carruagem de bronze puxada pelas duas cabras, Thor contou a Loki sobre a aventura que estava buscando. Ele iria para Jötunheim, para Utgard, a capital dos gigantes, e testaria sua força contra os gigantes. Ele não temia nada que pudesse acontecer, pois trazia Miölnir, seu martelo, com ele.

O caminho deles era por Midgard, o Mundo dos Homens. Certa vez, enquanto estavam viajando, a noite caiu sobre eles, pois estavam com fome e precisando de abrigo. Eles viram a cabana de um camponês e dirigiram a carruagem em sua direção. Os dois, não parecendo habitantes de Asgard, mas sim homens viajando por aquele país, bateram na porta da cabana e pediram comida e abrigo.

Eles poderiam ter abrigo, o camponês e sua esposa lhes disseram, mas eles não poderiam ter comida. Havia pouco naquele lugar, e o pouco que havia, tinham comido no jantar. O camponês mostrou-lhes o interior da cabana: era pobre e vazia, e não havia nada para dar a ninguém. De manhã, disse o camponês, ele desceria até o rio e pegaria alguns peixes para uma refeição.

– Não podemos esperar até de manhã, devemos comer agora – disse Thor. – Acho que posso providenciar uma boa refeição para todos nós.

Ele foi até onde havia deixado suas cabras, ao lado da carruagem de bronze e, batendo nelas com seu martelo, deixou-as estendidas sem vida no chão. Ele então tirou a pele das cabras e, pegando os ossos com muito cuidado, deixou-os sobre as peles. Daí, ele pegou as peles e os ossos e, trazendo-os para dentro de casa, deixou-os em um buraco acima da lareira do camponês.

– Ninguém – disse ele com voz de comando – deve tocar nos ossos que deixo aqui.

Então ele trouxe a carne para dentro de casa. Logo foi cozida e posta fumegando sobre a mesa. O camponês, sua esposa e seu filho sentaram-se com Thor e Loki. Fazia muitos dias que não comiam direito, e agora o homem e a mulher se alimentavam bem.

Thialfi era o nome do filho do camponês. Era um rapaz em fase de crescimento e tinha um apetite que não se satisfazia há muito tempo. Enquanto a carne estava sobre a mesa, seu pai e sua mãe o mantiveram andando de um lado para outro, carregando água, colocando gravetos no fogo e segurando uma vara em chamas para que os que estavam à mesa pudessem ver o que comiam. Não sobrou muito para ele, pois Thor e Loki tinham grande apetite, e o pai e a mãe do rapaz haviam comido para compensar os dias de necessidade. Portanto, Thialfi aproveitou pouco daquele farto banquete.

Terminada a refeição, deitaram-se nos bancos compridos. Thor, por ter feito uma longa viagem naquele dia, dormiu profundamente. Thialfi também se deitou em um banco, mas seus pensamentos ainda estavam na comida. Quando todos estivessem dormindo, ele pensou, pegaria um dos ossos que estavam nas peles acima dele, quebraria e o roeria.

Então, na calada da noite, o rapaz se levantou no banco e tirou as peles de cabra que Thor havia deixado com tanto cuidado. Ele tirou um osso, quebrou-o e roeu até a medula. Loki estava acordado e o viu fazer isso, mas não fez nada para deter o garoto.

Ele colocou o osso que havia quebrado de volta nas peles e colocou tudo de volta no buraco acima da lareira. Então foi dormir no banco.

De manhã, assim que eles se levantaram, a primeira coisa que Thor fez foi tirar as peles do buraco. Ele as carregou com cuidado até onde estava a carruagem de bronze e colocou cada pele de cabra com os ossos dentro. Em seguida, Thor bateu em cada uma com seu martelo, e as cabras saltaram vivas, com chifres e cascos e tudo.

Mas não como antes. Uma delas mancava muito. Thor examinou as pernas e descobriu que um osso estava quebrado. Com uma raiva terrível, ele se voltou contra o camponês, sua esposa e seu filho.

– Um osso desta cabra foi quebrado sob o seu teto – gritou ele. – Por isso, vou destruir sua casa e deixá-los todos mortos sob ela.

Thialfi chorou. Ele avançou e se atirou aos pés de Thor.

– Eu não sabia que mal eu estava fazendo – choramingou. – Fui eu que quebrei o osso.

Thor levantou seu martelo para esmagá-lo, mas não conseguiu matar o menino que chorava. Ele deixou seu martelo repousar no chão novamente.

– Você terá que prestar muitos serviços para mim por ter aleijado minha cabra – disse ele. – Venha comigo.

E então o rapaz Thialfi saiu com Thor e Loki. Thor pegou em suas mãos poderosas as hastes da carruagem de bronze e arrastou-a para uma depressão montanhosa isolada, por onde nem homens, nem gigantes passavam. E deixou as cabras em uma grande floresta vazia para ficarem descansando lá até que Thor as viesse buscar.

Thor, Loki e Thialfi atravessaram de Midgard para Jötunheim. Por causa de Miölnir, o grande martelo que portava, Thor se sentia seguro no reino dos gigantes. E Loki, que confiava em sua própria astúcia, também. Thialfi, por sua vez, confiava tanto em Thor que não teve medo. A jornada demorou muito e, enquanto viajavam, Thor e Loki treinaram Thialfi para ser rápido e forte.

Uma vez, quando um forte vento soprava e a noite caía, eles não encontraram nenhum abrigo por perto. No crepúsculo, eles viram uma forma que parecia ser uma montanha e foram em direção a ela, na esperança de encontrar algum abrigo ou caverna.

Então Loki viu uma abertura que parecia ser um abrigo. Eles caminharam ao redor dela, Loki e Thor e o rapaz Thialfi. Era uma casa, mas uma casa de formato muito estranho. A entrada era um corredor longo e largo, sem porta. Quando eles entraram neste salão, encontraram cinco câmaras longas e estreitas.

– É um lugar estranho, mas é o melhor abrigo que podemos conseguir – disse Loki. – Você e eu, Thor, ficaremos com os dois quartos mais longos, e o rapaz Thialfi pode ficar com um dos quartos pequenos.

Eles entraram em seus aposentos e se deitaram para dormir. Mas da montanha lá fora veio um barulho que era como florestas gemendo e cataratas caindo. A câmara onde cada um dormia foi abalada pelo barulho. Nem Thor, nem Loki, nem Thialfi dormiram naquela noite.

De manhã, eles deixaram a casa de cinco quartos e voltaram o rosto para a montanha. Mas não era uma montanha, e sim um gigante! Ele estava deitado no chão quando o viram, mas então ele rolou para o lado e sentou-se.

– Homenzinhos, homenzinhos – gritou ele – vocês viram uma luva minha no caminho? – Ele se levantou e olhou ao seu redor. – Opa! Encontrei minha luva agora!

Thor, Loki e Thialfi pararam enquanto o gigante vinha em sua direção. Ele se inclinou e pegou a estranha cabana de cinco cômodos compridos e estreitos onde eles haviam dormido e o vestiu. Era de fato a luva que perdera!

Thor agarrou seu martelo, e Loki e Thialfi ficaram atrás dele. Mas o gigante parecia bem-humorado.

– Para onde vocês estão indo, homenzinhos? – quis saber ele.

– Para Utgard, em Jötunheim – Thor respondeu.

– Oh, vou também para aquele lugar – disse o gigante. – Venham, vamos juntos então. Vocês podem me chamar de Skyrmir.

– Você pode compartilhar conosco seu desjejum? – pediu Thor. Ele falou em um tom mal-humorado, pois não queria que parecesse que eles temiam o gigante.

– Posso, sim – confirmou Skyrmir –, mas não quero comer agora. Vamos comer assim que eu tiver apetite. Venham agora. Aqui está minha mochila para vocês levarem. Minhas provisões estão aí.

Ele deu a Thor sua mochila. Thor a colocou nas costas e colocou Thialfi sentado sobre ela. O gigante avançou continuamente e Thor e Loki mal conseguiram acompanhá-lo. Era meio-dia quando ele deu sinal para parar e tomar o café da manhã.

Eles chegaram a uma árvore enorme. Embaixo dela, Skyrmir se sentou.

– Vou dormir antes de comer – disse ele –, mas vocês podem abrir minha mochila, homenzinhos, e se servir à vontade.

Dizendo isso, ele se espreguiçou e, em poucos minutos, Thor, Loki e o rapaz Thialfi ouviram os mesmos sons que os mantiveram acordados na noite anterior, sons que eram como florestas gemendo e cataratas caindo. Era o ronco de Skyrmir. Mas Thor, Loki e Thialfi estavam famintos demais para serem incomodados por aquele barulho tremendo.

Thor tentou abrir a mochila, mas descobriu que não era fácil desfazer os nós. Então Loki tentou. Contudo, apesar de toda a astúcia de Loki, ele não conseguiu desfazer os nós. Então Thor pegou a mochila e tentou cortar os nós usando a força. Entretanto, nem mesmo a força de Thor conseguiu romper os nós. Ele jogou a mochila no chão de raiva.

O ronco de Skyrmir ficava cada vez mais alto. Thor se levantou em sua raiva. Ele agarrou Miölnir e o atirou na cabeça do gigante adormecido. O martelo o atingiu em cheio, mas Skyrmir apenas se mexeu durante o sono.

– Será que uma folha caiu na minha cabeça? – resmungou ele.

Então, ele se virou para o outro lado e adormeceu novamente. O martelo voltou para a mão de Thor. Assim que Skyrmir roncou, ele o arremessou novamente, mirando na testa do gigante. Acertou no alvo. O gigante abriu os olhos.

– Será que uma bolota de carvalho caiu na minha testa? – bocejou.

E voltou a dormir. Mas agora Thor, terrivelmente furioso, se colocou de pé sobre sua cabeça com o martelo nas mãos. Ele bateu na testa dele. Foi o golpe mais poderoso que Thor já havia desferido.

– Um pássaro está bicando minha testa – não há chance de dormir aqui –, disse Skyrmir, sentando-se. – E vocês, homenzinhos, já tomaram o café da manhã? Joguem minha mochila para mim e eu lhes darei algumas provisões.

Thialfi levou a mochila para ele. Skyrmir a abriu com facilidade, tirou suas provisões e deu uma parte para Thor, Loki e Thialfi. Thor não quis aceitar, mas Loki e o rapaz Thialfi pegaram e comeram. Quando a refeição terminou, Skyrmir se levantou e disse:

– É hora de irmos para Utgard.

Enquanto eles seguiam seu caminho, Skyrmir conversava com Loki.

– Sempre me sinto muito pequeno quando entro em Utgard – disse ele. – Você vê, eu sou um sujeito tão pequeno e fraco e as pessoas que vivem lá são tão grandes e poderosas. Mas você e seus amigos serão bem-vindos em Utgard. Eles certamente farão de vocês bichinhos de estimação.

E então eles chegaram a Utgard, a cidade dos gigantes.

Utgard era a Asgard dos gigantes. Mas em seus salões não havia a beleza que reinava nos palácios dos deuses, Gladsheim e Breidablik ou Fensalir. Enormes, mas disformes, os edifícios surgiram como montanhas ou icebergs.

Thor e Loki, acompanhados de Thialfi, foram ao palácio do rei. Passaram entre filas de guardas gigantes e chegaram ao trono do rei.

– Nós os conhecemos, Thor e Loki – disse o rei dos gigantes – e sabemos que Thor veio a Utgard para testar sua força contra nós. Teremos uma competição amanhã. Hoje há esportes para nossos meninos. Se o seu jovem servo quiser testar sua rapidez contra nossos jovens, podemos deixá-lo entrar na corrida hoje.

Acontece que Thialfi era o melhor corredor de Midgard, e todo o tempo que esteve com eles, Loki e Thor treinaram sua velocidade. E, assim, Thialfi não temia competir contra os jovens gigantes.

O rei chamou um certo Hugi para correr contra Thialfi. Dada a largada, Thialfi saiu em disparada. Loki e Thor observaram a corrida ansiosamente, pois pensaram que seria bom para eles se tivessem um triunfo sobre os habitantes de Utgard na primeira competição. Mas eles viram Hugi deixar Thialfi para trás. Testemunharam o jovem gigante chegar ao ponto de retorno, circulá-lo e voltar ao ponto de partida antes que Thialfi chegasse ao final do percurso.

Thialfi, que não sabia como havia sido derrotado, pediu mais uma chance de correr contra Hugi. A dupla começou mais uma vez e, desta vez, Thor e Loki tiveram a impressão de que Hugi nem havia saído do local de largada: estava de volta quase no momento em que a corrida começou.

Eles voltaram do campo de corrida para o palácio. O rei gigante e seus amigos sentaram-se à mesa do jantar com Thor e Loki.

– Amanhã – disse o rei – teremos nossa grande competição,

quando Thor nos mostrará seu poder. Mas, por ora, vocês, de Asgard, já ouviram falar de alguém que participaria de uma competição de comilança? Poderíamos fazer uma competição dessas agora mesmo, se pudéssemos conseguir alguém que se equipare a Logi, aqui ao meu lado. Ele come mais do que qualquer pessoa em Jötunheim.

– E eu – desafiou Loki – posso comer mais do que dois dele. Vou competir contra o seu campeão Logi.

– Boa! – aprovou o rei gigante, e todos os gigantes presentes gritaram: – Ótimo! Vale a pena ver este espetáculo!

Em seguida, eles colocaram dezenas de pratos ao longo da mesa, cada prato cheio de carne. Loki começou em uma extremidade e Logi começou na outra. Eles começaram a comer, indo um em direção ao outro enquanto cada um tirava um prato. Prato após prato foi esvaziado, e Thor, ao lado dos gigantes, ficou surpreso ao ver o quanto Loki comia. Mas Logi, na outra ponta da mesa, esvaziava prato após prato. Por fim, os dois se encontraram no meio da mesa.

– Ele não me derrotou! – gritou Loki. – Esvaziei tantos pratos quanto o seu campeão, ó rei dos gigantes.

– Mas você não os esvaziou tão bem – decretou o rei.

– Loki comeu toda a carne que havia neles – protestou Thor.

– Mas Logi comeu os ossos com a carne – disse o rei gigante. – Olhe e veja se não foi assim.

Thor foi até as travessas. Onde Loki havia comido, tinha ossos. Onde Logi tinha comido, não sobrou nada: tanto os ossos como a carne foram consumidos, e todos os pratos estavam vazios.

– Fomos derrotados – admitiu Thor para Loki.

– Amanhã, Thor – disse Loki – você deverá mostrar toda a sua força ou os gigantes deixarão de temer o poder dos habitantes de Asgard.

– Não se anime – disse Thor. – Ninguém em Jötunheim

triunfará sobre mim.

No dia seguinte, Thor e Loki entraram no grande salão de Utgard, e o rei gigante estava lá com uma multidão de amigos. Thor marchou através do salão com Miölnir, seu grande martelo em suas mãos.

– Nossos jovens têm bebido deste chifre – disse o rei – e querem saber se você, Thor, tomaria um trago matinal. Mas devo dizer que eles acham que ninguém entre os Æsir conseguiria esvaziar o chifre de um só gole.

– Dê-me – disse Thor. – Não há chifre que eu não possa esvaziar de um só gole.

Um grande chifre, transbordando de bebida, foi trazido para ele. Entregando Miölnir para Loki, Thor levou o chifre à boca. Ele bebeu e bebeu. Tinha certeza de que não havia sobrado uma gota no chifre ao colocá-lo na mesa.

– Pronto! – exclamou Thor. Esvaziei seu chifre.

Os gigantes olharam dentro do chifre e riram.

– Vazio, Thor? – riu o rei gigante. – Olhe para o chifre novamente. Você mal bebeu abaixo da borda.

E Thor olhou para ele e viu que o chifre não estava nem meio vazio. Furioso, ele o levou aos lábios novamente. Ele bebeu e bebeu e bebeu. Então, satisfeito por ter esvaziado o chifre, ele deixou o recipiente sobre a mesa.

– Thor acha que esvaziou o chifre – gargalhou um dos gigantes, levantando o recipiente. – Mas vejam, amigos, o que resta nele.

Thor olhou novamente para o chifre. Ainda estava pela metade. Ele se virou e viu que todos os gigantes estavam rindo dele.

---

[6] Na Edda em prosa, os gigantes chamam frequentemente Thor de "Asa Thor" em uma referência ao fato de ele pertencer ao clã Æsir, diferenciando-o, portanto, dos membros do clã Vanir.

— Asa Thor, Asa Thor[6]! — zombou o rei gigante. — Não sabemos como você vai lidar conosco na próxima façanha, mas certamente não será capaz de beber contra os gigantes.

— Posso erguer do chão qualquer ser em seu salão — desafiou, então, Thor.

Ao dizer isso, uma grande gata cor de ferro saltou no salão e parou diante de Thor, com as costas arqueadas e o pelo eriçado.

— Então levante a gata do chão — disse o rei gigante.

Thor caminhou até a gata, determinado a erguê-la e jogá-la entre os gigantes zombeteiros. Ele pegou a gata, mas não conseguiu levantá-la. Ele ergueu os braços o mais alto possível, e as costas arqueadas da gata subiam até o teto, mas seus pés não saiam do chão. E enquanto puxava o animal com todas as suas forças, ouviu a risada dos gigantes ao seu redor. Thor se voltou, seus olhos flamejando de raiva.

— Não costumo tentar levantar gatos — disse. — Traga-me alguém para lutar, e eu juro que você me verá derrotá-lo.

— Aqui está, Asa Thor — disse o rei. Thor olhou em volta e viu uma velha mancando em sua direção. Seus olhos eram turvos e ela não tinha dentes. — Esta é Ellie, minha antiga babá — informou o rei gigante. — É com ela que gostaríamos que você lutasse.

— Thor não luta com mulheres velhas. Em vez disso, enfrentarei seus maiores gigantes.

— Ellie é quem vai enfrentá-lo, Asa Thor — determinou o rei gigante.

A velha mancou em direção a Thor, seus olhos brilhando sob a franja de cabelos grisalhos. Thor se levantou, mas foi incapaz de se mover. Ela colocou as mãos sobre os braços dele, seus pés prenderam os dele. Ele tentou empurrá-la, mas não conseguiu.

Em seguida, Thor e a velha Ellie começaram a lutar. Contudo, Thor não foi capaz de derrubar a idosa. Ao contrário, ele caiu sob seu terrível domínio. Ela o forçou a se abaixar, e ele só conseguiu evitar ser derrubado ao se apoiar sobre um joelho e segurar Ellie com os ombros. Ela tentou forçá-lo a cair, mas não conseguiu. Então, a velha babá se separou dele, mancou até a porta e saiu do salão.

Thor se levantou e pegou o martelo das mãos de Loki. Sem dizer uma palavra, saiu do salão e seguiu em direção ao portão da cidade dos gigantes.

Como Thor e Loki enganaram Thrym, o gigante

Loki contou outra história sobre Thor. Foi uma aventura que envolveu Thrym, um gigante estúpido que tinha traços de astúcia. Loki e Thor estiveram na casa deste gigante. Ele havia feito um banquete para eles e Thor bebeu demais.

Então, quando eles já estavam longe de Jötunheim, Thor sentiu falta de Miölnir: perdera o martelo que era a maior arma para defender Asgard. Ele não conseguia se lembrar como ou onde o havia perdido. Os pensamentos de Loki foram em direção a Thrym, aquele gigante estúpido que ainda tinha traços de astúcia. Thor estava sem o martelo que jurou nunca perder de vista, e não sabia o que fazer.

Mas Loki achou que valeria a pena ver se Thrym soubesse de algo sobre isso. Ele foi primeiro para Asgard. Correu pela ponte arco-íris e passou por Heimdall sem falar com ele. Para nenhum dos habitantes de Asgard que o encontrou contou sobre a perda de Thor, exceto para Frigga.

Para Frigga, ele disse:

– Você deve me emprestar seu vestido de falcão para que eu voe até a casa de Thrym e descubra se ele sabe onde Miölnir está.

– Mesmo se todas as penas fossem de prata, eu as daria para você fazer esse serviço – concordou Frigga.

Então Loki colocou o vestido de falcão e voou para Jötunheim, chegando perto da casa de Thrym. Ele encontrou o gigante na encosta de uma colina, colocando coleiras de ouro e prata no pescoço de seus cães. Loki, na plumagem de um falcão empoleirado na rocha acima dele, observava o gigante com os olhos penetrantes da ave em que se transformara.

E ouviu o gigante dizer palavras arrogantes.

– Coloquei colares de prata e ouro em vocês agora, meus cães, porque em breve nós, gigantes, teremos o ouro de Asgard para enfeitar nossos cães e nossos cavalos. Terei até mesmo o colar de Freya para colocar em vocês, meus cães. Pois Miölnir, a defesa de Asgard, está nas mãos de Thrym!

Então Loki falou:

– Sim, sabemos que Miölnir está em sua posse, ó Thrym, mas saiba que os olhos dos deuses vigilantes estão sobre você.

– Ah, Loki, transformador de formas! – surpreendeu-se Thrym. – Você está aí! Mas espionar não o ajudará a encontrar Miölnir. Enterrei o martelo de Thor a treze quilômetros de profundidade. Encontre-o se você puder. Está abaixo das cavernas dos anões.

– É inútil, então, procurarmos o martelo de Thor, Thrym?

– É inútil você procurar por ele – respondeu o gigante mal-humorado.

– Mas que recompensa você pediria se devolvesse o martelo de Thor aos habitantes de Asgard?

– Não, astuto Loki, eu nunca vou devolvê-lo, por recompensa nenhuma.

– Ainda assim, Thrym, não há nada em Asgard que você gostaria de possuir? Nenhum tesouro, nenhuma posse? O anel de Odin ou o barco de Frey, Skidbladnir?

Como Thor e Loki enganaram Thrym, o gigante

– Não, não! – respondeu Thrym. – Apenas uma coisa os habitantes de Asgard poderiam me oferecer que eu receberia em troca de Miölnir, o martelo de Thor.

– E o que seria, Thrym? – disse Loki, voando em sua direção.

– Aquela que muitos gigantes lutaram para conquistar... Quero Freya para minha esposa.

Loki observou Thrym por muito tempo com seus olhos de falcão. Ele viu que o gigante não alteraria sua demanda.

– Vou contar aos habitantes de Asgard sobre sua demanda – disse por fim e voou para longe.

Loki sabia que os habitantes de Asgard nunca permitiriam que Freya fosse tirada deles para se tornar a esposa de Thrym, o mais estúpido dos gigantes. Quando chegou de volta a Asgard, todos os seus habitantes já tinham ouvido falar da perda de Miölnir. Heimdall gritou para ele enquanto cruzava a ponte do arco-íris para perguntar que notícias ele trazia. Mas Loki não parou para falar com o Guardião da Ponte, indo direto para o salão onde os deuses estavam sentados em conselho.

Para os Æsir e os Vanir, ele contou a exigência de Thrym. Ninguém concordaria em deixar a bela Freya viver em Jötunheim como esposa do mais estúpido dos gigantes. Todos no conselho ficaram abatidos. Os deuses nunca mais seriam capazes de ajudar os mortais, pois agora que Miölnir estava nas mãos dos gigantes, todas as suas forças teriam que ser usadas na defesa de Asgard. Mas o astuto Loki propôs:

– Pensei em um truque que pode reconquistar o martelo do estúpido Thrym. Vamos fingir que mandamos Freya a Jötunheim como sua noiva. Mas um dos deuses irá sob o véu e o vestido de Freya.

— Qual dos deuses faria uma coisa tão vergonhosa? — perguntaram os membros do conselho.

— Aquele que perdeu o martelo, Thor, deve estar preparado para fazer o máximo para reconquistá-lo — respondeu Loki.

— Thor, Thor! Que Thor recupere o martelo de Thrym usando o truque de Loki — disseram os Æsir e os Vanir. Eles deixaram que Loki planejasse como Thor deveria ir para Jötunheim como noiva de Thrym.

Loki deixou o Conselho dos deuses e foi para onde havia deixado Thor.

— Há apenas uma maneira de recuperar o martelo, Thor - disse ele. — E os deuses em conselho decretaram que você o fará.

— Não importa o que seja, diga-me o que fazer e farei o que você disser.

— Então — disse Loki rindo — devo levá-la a Jötunheim como noiva de Thrym. Você deve ir de vestido de noiva e véu, como Freya.

— O quê! Eu me vestir com roupas de mulher? — gritou Thor.

— Sim, Thor, e use uma guirlanda de flores sobre o véu, anéis nos seus dedos e várias chaves no seu cinto[7].

— Cessa a tua zombaria, Loki! — disse Thor asperamente.

— Não é uma zombaria. Você terá que fazer isso para ganhar Miölnir de volta para a defesa de Asgard. Thrym não receberá outra recompensa além de Freya. Quando você estiver em seu salão e ele pedir para dar suas mãos a ele, diga que não fará nada até que ele devolva Miölnir. Então, quando seu poderoso martelo estiver em sua mão, pode atacar o gigante e todos no salão. E eu estarei ao seu lado como sua dama de honra! Ó doce, doce donzela Thor!

---

[7] Apenas as donas da casa na Escandinávia da Era Viking guardavam consigo as chaves das portas e das dispensas.

– Loki – rugiu Thor –, você planejou tudo isso para zombar de mim. Eu em um vestido de noiva! Eu com um véu de noiva! Os habitantes de Asgard nunca deixarão de rir de mim.

– Sim – concordou Loki –, mas nunca haverá risos novamente em Asgard a menos que você seja capaz de trazer de volta o martelo que sua falta de cuidado perdeu.

– Verdade – disse Thor infeliz. – E esta é a única maneira de reconquistar Miölnir de Thrym?

– É o único caminho, Thor – confirmou o astuto Loki.

Então Thor e Loki partiram para Jötunheim e para morada de Thrym. Um mensageiro tinha ido antes deles para dizer a Thrym que Freya viria com sua dama de honra, que a festa de casamento deveria ser preparada e os convidados reunidos e que Miölnir deveria estar disponível para que fosse entregue aos habitantes de Asgard. Thrym e sua mãe gigante se apressaram para deixar tudo pronto.

Thor e Loki foram à casa do gigante vestidos de noiva e dama de honra. Thor usava um véu, escondendo sua barba e seus olhos ferozes. Trajava um manto bordado em vermelho e pendiam do cinto as chaves da dona de casa. Loki também estava de véu. O salão da grande casa de Thrym fora varrido e guarnecido e grandes mesas foram colocadas para a festa. E a mãe de Thrym estava indo de um convidado para outro, alardeando que seu filho tinha como noiva uma das mais belas habitantes de Asgard, Freya, a quem tantos gigantes haviam tentado conquistar.

Quando Thor e Loki cruzaram a soleira, Thrym foi recebê-los. Ele queria levantar o véu de sua noiva e dar-lhe um beijo. Loki rapidamente colocou a mão no ombro do gigante.

– Paciência – sussurrou. – Não levante o véu. Nós, habitantes de Asgard, somos reservados e tímidos. Freya ficaria muito ofendida se fosse beijada diante de tantas pessoas.

– Sim, sim – disse a mãe de Thrym. – Não levante o véu de sua noiva, filho. Esses habitantes de Asgard são mais refinados em seus modos do que nós, os gigantes.

Então a velha pegou Thor pela mão e o conduziu até a mesa.

O tamanho e a circunferência da noiva não surpreenderam os enormes gigantes que estavam no casamento. Eles olharam para Thor e Loki, mas não conseguiam ver nada de seus rostos e pouco de suas formas por causa de seus véus e vestidos.

Thor foi sentado à mesa com Thrym de um lado e Loki do outro. Então a festa começou. Thor, sem perceber que era impróprio para uma donzela refinada, comeu oito salmões imediatamente. Loki o cutucou e pisou no seu pé, mas ele não deu atenção a Loki. Depois do salmão, comeu um boi inteiro.

– Essas donzelas de Asgard – comentaram os gigantes – podem ser refinadas, como diz a mãe de Thrym, mas seus apetites são bastante vigorosos.

– Não me admira que ela coma, coitadinha – disse Loki para Thrym. – Passaram-se oito dias desde que deixamos Asgard, e Freya não comeu no caminho, tão ansiosa estava para ver Thrym e ir para sua nova casa.

– Pobre querida, pobre querida – compadeceu-se o gigante. – O que ela comeu ainda é pouco.

Thor acenou com a cabeça em direção ao hidromel. Thrym ordenou que seus servos trouxessem um chifre para sua noiva. Os servos continuavam trazendo a bebida a Thor. Enquanto os gigantes assistiam e Loki cutucava a noiva e balançava a cabeça, ele bebeu três barris de hidromel.

– Oh! – exclamaram os gigantes à mãe de Thrym. – Não

lamentamos não termos conseguido noivas de Asgard.

E agora um pedaço do véu deslizou para o lado e os olhos de Thor foram vistos por um instante.

– Oh, como é que Freya tem olhos tão brilhantes? – estranhou Thrym.

– Coitadinha, coitadinha – disse Loki. – Não admira que seus olhos estejam brilhantes e fixos. Ela não dorme há oito noites, tão ansiosa estava para vir para você e para sua casa, Thrym. Mas agora chegou a hora de você dar as mãos à sua noiva. Primeiro, coloque em suas mãos o martelo Miölnir para que ela possa ver o valioso dote que os gigantes deram por ela.

Então Thrym, o mais estúpido dos gigantes, levantou-se e trouxe Miölnir, o defensor de Asgard, para o salão de banquetes. Thor mal conseguia se conter para não pular e tomá-lo do gigante. Mas Loki conseguiu mantê-lo quieto. Thrym trouxe o martelo e colocou o cabo nas mãos daquela que ele pensava ser sua noiva. As mãos de Thor se fecharam em seu martelo. Ele se levantou instantaneamente. O véu caiu dele. Seu semblante e seus olhos brilhantes foram vistos por todos. Ele deu um golpe na parede da casa, que caiu em pedaços. Então Thor saiu da ruína com Loki ao lado dele, enquanto os gigantes, esmagados pelas ruínas, berravam. E assim Miölnir, a defesa de Asgard, foi recuperado por meio da astúcia de Loki e da força de Thor.

A celebração de Ægir: como Thor triunfou

A tarde passou enquanto os Æsir e os Vanir se reuniam para o banquete no salão do velho Ægir, ouvindo as histórias que Loki contava zombando de Thor. A noite chegou, mas nenhum banquete foi preparado para os habitantes de Asgard. Eles chamaram os dois servos de Ægir, Fimaffenger e Ancião, e pediram que trouxessem uma ceia. Pouco lhes foi servido, mas foram para a cama dizendo:

– Ótimos devem ser os preparativos que o velho Ægir está fazendo para nosso banquete de amanhã.

O dia seguinte chegou e, à hora do almoço, os habitantes de Asgard ainda não viam os preparativos sendo feitos para o banquete. Então Frey se levantou e foi procurar o velho Ægir, o gigante rei do mar. Ele o encontrou sentado com a cabeça baixa em seu salão interno.

– Ægir! – chamou ele. – E quanto ao banquete que você ofereceu aos habitantes de Asgard?

O velho Ægir resmungou e puxou a barba. Por fim, olhou para o rosto do convidado e explicou que o hidromel para o banquete ainda não estava preparado, e havia pouca chance de isso acontecer, pois o salão de Ægir carecia de um caldeirão grande o bastante para servir a todos.

Quando os Æsir e os Vanir souberam disso, ficaram profundamente desapontados. Quem agora, fora de Asgard, lhes

A celebração de Ægir: como Thor triunfou

ofereceria um banquete? Ægir era o único dos gigantes que era amigável com eles, e ele não podia dar-lhes de beber.

Então um jovem gigante que estava lá falou:

– Meu parente, Hrymer, tem um caldeirão para hidromel com uma milha de largura. Se pudéssemos trazer o caldeirão de Hrymer aqui, que banquete teríamos!

– Um de nós pode ir buscar o caldeirão – propôs Frey.

– Ah, mas a morada de Hrymer fica além da floresta mais profunda e atrás da montanha mais alta – disse o jovem gigante. – E Hrymer é grosseiro e egoísta.

– Mesmo assim, um de nós deve ir – disse Frey.

– Eu irei até a casa de Hrymer – falou Thor, levantando-se. Ele estava sentindo-se mal com as histórias zombeteiras que Loki contou sobre ele e ficou satisfeito com a chance de tornar sua destreza clara para os Æsir e os Vanir. Ele afivelou o cinto que dobrava sua força. Calçou as luvas de ferro que lhe permitiram agarrar Miölnir. Pegou o martelo nas mãos e fez sinal ao jovem gigante para acompanhá-lo e ser seu guia.

O Æsir e os Vanir aplaudiram Thor quando ele saiu do salão do velho Ægir. Mas Loki, o perverso Loki, zombou dele uma última vez: – Não deixe o martelo longe das suas mãos desta vez, noiva de Thrym!

Thor, com o jovem gigante, atravessou a floresta mais profunda e a montanha mais alta. Ele finalmente chegou à morada do gigante. Em uma colina diante da casa de Hrymer havia um terrível guarda. Era uma velha gigante, com muitas cabeças saindo de seus ombros. Ela estava agachada sobre os tornozelos, e suas cabeças olhavam em direções diferentes. Enquanto Thor e o jovem gigante se aproximavam, gritos e ganidos vinham de todas as suas cabeças. Thor agarrou seu martelo e o teria arremessado contra ela se uma mulher gigante, fazendo um sinal de paz, não tivesse saído à porta da casa. O jovem gigante que estava com Thor a cumprimentou. Era sua mãe.

– Filho, venha para dentro – convidou ela – e pode trazer o seu companheiro de viagem com você.

A velha gigante era a avó de Hrymer – e continuava gritando e ganindo. Mas Thor passou por ela e entrou na casa da gigante.

Quando ela viu que era um dos habitantes de Asgard que tinha vindo com seu filho, a mulher gigante ficou com medo.

– Hrymer – confidenciou ela – ficará furioso por encontrar um dos Æsir sob seu teto. Ele irá certamente tentar matá-lo.

– Não é provável que ele consiga – disse Thor, agarrando Miölnir, o martelo que toda a raça de gigantes conhecia e temia.

– Esconda-se dele – disse a mulher gigante. – Ele pode ferir meu filho em sua fúria por ter trazido você aqui.

– Não costumo me esconder dos gigantes – discordou Thor.

– Esconda-se apenas um pouco! Esconda-se até que Hrymer tenha comido – implorou a gigante. – Ele volta da caça com um temperamento tempestuoso. Depois de comer, é mais fácil lidar com ele. Esconda-se até que ele termine o jantar.

Thor finalmente concordou, e ele e o jovem gigante se esconderam atrás de uma coluna. Mal se esconderam, ouviram o barulho dos passos do gigante entrando no pátio. Ele entrou na casa. Sua barba era como uma floresta congelada ao redor de sua boca, e arrastava consigo um touro selvagem que havia capturado na perseguição. Estava tão orgulhoso de sua captura que o arrastou para o salão.

– Peguei vivo! – gritou ele. – O touro com os chifres mais poderosos. Nenhum gigante além de mim poderia capturá-lo!

Ele amarrou o touro a um poste junto à porta e então seus olhos foram atraídos para o pilar atrás do qual Thor e o jovem gigante estavam se escondendo. Hrymer chegou mais perto. O olhar do gigante era tão duro, que a coluna de pedra quebrou. Caiu com a viga que suportava, e todas as chaleiras e caldeirões que estavam pendurados na viga caíram com um barulho terrível.

Então Thor saiu e enfrentou o gigante furioso.

– Sou eu que estou aqui, amigo Hrymer – disse ele, com as mãos apoiadas no martelo.

Hrymer, que conhecia Thor e conhecia a força do martelo de Thor, recuou.

– Agora que você está em minha casa, Asa Thor – disse ele –, não vou lutar com você. Prepare o jantar para Asa Thor, seu filho e eu – ordenou ele à mãe.

Uma farta ceia foi servida, Hrymer e Thor e o jovem gigante sentaram-se para comer três bois assados inteiros. Thor comeu um boi todo. Hrymer, que havia comido quase dois, deixando apenas pequenos pedaços para sua esposa e seu jovem irmão, reclamou do apetite de Thor.

– Você limpará meus campos, Asa Thor – disse ele –, se ficar muito tempo comigo.

– Não resmungue, Hrymer – respondeu Thor. – Amanhã irei pescar e trarei de volta o que comi.

– Então, em vez de caçar, irei pescar com você amanhã, Asa Thor. E não tenha medo se eu levar você para o mar agitado.

Hrymer foi o primeiro a se levantar na manhã seguinte. Ele veio com a vara e as cordas até onde Thor estava dormindo.

– É hora de começar a ganhar sua refeição, Asa Thor –, disse o gigante.

Thor saiu da cama e, quando os dois estavam no pátio, o gigante falou:

– Você terá que pegar uma isca. Lembre-se de pegar uma

grande o suficiente, pois o lugar para onde vou levá-lo não é onde os peixinhos estão. Se você nunca viu monstros antes, você os verá agora. Fico feliz, Asa Thor, que você tenha proposto ir pescar.

– Essa isca será grande o suficiente? – perguntou Thor, colocando as mãos nos chifres do touro que Hrymer havia capturado e trazido para casa, o touro com a poderosa cabeça chifruda.

– Sim, se você conseguir lidar com ela – respondeu o gigante.

Thor não disse nada, mas atingiu o touro bem no meio da testa com o punho. A grande criatura caiu morta. Thor então pegou a cabeça do touro.

– Eu tenho minha isca e estou pronto para ir com você, Hrymer.

Hrymer se virou para esconder a raiva que sentia ao ver Thor fazer tal façanha. Ele desceu para o barco sem falar.

– Você pode remar agora – disse Hrymer, quando eles estavam no barco –, mas quando chegarmos a um lugar onde o mar é agitado, vou pegar os remos de você.

Sem dizer uma palavra, Thor deu algumas remadas que levaram o barco para o meio do oceano. Hrymer estava com raiva ao pensar que não poderia se mostrar maior do que Thor. Ele soltou sua linha e começou a pescar. Logo sentiu algo enorme em seu anzol. O barco balançou e balançou até que Thor o estabilizou. Então Hrymer puxou para o barco a maior baleia que havia nos mares.

– Boa pesca – cumprimentou Thor, enquanto colocava sua isca na linha.

– É algo para você contar aos Æsir – disse Hrymer.

– Vou tentar a sorte agora – falou Thor.

Ele lançou a linha com a cabeça de chifres poderosos do grande touro no final. A cabeça desceu, desceu, passando por onde as baleias nadam, deixando-as com medo dos chifres. Desceu mais até chegar perto de onde habita a serpente monstro que se enrosca em volta do mundo. Ela ergueu a cabeça enquanto a isca de Thor descia pelas profundezas do oceano. Então, engoliu em seco a cabeça, mas o grande anzol se cravou em sua garganta. Terrivelmente surpreso ficou o monstro. A serpente, tentando se livrar, tentou puxar o barco daqueles que a fisgaram para as profundezas do oceano. Thor colocou as pernas para fora do barco e as esticou até que tocassem o fundo do oceano. No fundo do mar, Thor se levantou e puxou e puxou sua linha. A serpente açoitou o oceano provocando tempestades cada vez mais violentas e todos os navios do mundo foram arremessados uns contra os outros, naufragando. Thor continuava a prender a serpente marinha. Então, a terrível cabeça do monstro apareceu acima das águas. Ele se aproximou do barco, e Thor largou a corda e pegou Miölnir, seu poderoso martelo. Ele o ergueu para atingir a cabeça da monstruosa serpente cujo corpo se enrodilha ao redor do mundo. Mas Hrymer não permitiria que isso acontecesse. Para que Thor não o superasse, ele cortou a linha, e a cabeça do monstro serpente afundou de volta no mar. Contudo, Thor arremessou seu martelo, que sempre voltava para sua mão. Miölnir seguiu a cabeça, afundando no oceano. Atingiu o monstro serpente com um golpe, mas não foi um golpe mortal, pois a água amorteceu a força da arma. Um berro de dor veio das profundezas do oceano, um grito de agonia tão grande que todos em Jötunheim ficaram apavorados.

– Isso certamente é algo para contar aos Æsir – disse Thor – algo que os fará esquecer as zombarias de Loki.

Sem falar, Hrymer virou o barco e remou em direção à costa, trazendo a baleia. Ele estava com tanta raiva de pensar que um dos Æsir havia feito uma façanha que ultrapassava a dele que não quis falar. No jantar, também permaneceu em silêncio, mas Thor falou por dois, gabando-se ruidosamente de seu triunfo sobre a serpente marinha.

– Sem dúvida você se considera muito poderoso, Asa Thor – reconheceu Hrymer por fim. – Bem, você acha que é poderoso o suficiente para quebrar o cálice que está diante de você?

Thor pegou o utensílio e com uma risada o arremessou contra a coluna de pedra da casa. O cálice caiu no chão sem uma rachadura sequer. Mas a coluna foi despedaçada com o golpe.

O gigante riu.

– Tão fraco é o povo de Asgard!

Thor pegou o cálice novamente e lançou-o com mais força contra o pilar de pedra. E novamente o cálice caiu no chão sem uma rachadura.

Então, ouviu a mãe do jovem gigante cantar baixinho, atrás dele:

– Não no pilar, mas na cabeça volumosa de Hrymer.

Thor pegou o cálice uma vez mais. Ele o arremessou, dessa vez, contra a cabeça de Hrymer. Atingiu o gigante na testa e caiu no chão em pedaços. E a cabeça de Hrymer ficou sem uma marca ou rachadura.

– Então você conseguiu quebrar o cálice, mas você consegue levantar meu caldeirão de um quilômetro de diâmetro? – gritou o gigante.

– Mostre-me onde ele está e tentarei levantá-lo – concordou Thor.

O gigante pegou o piso e mostrou-lhe o caldeirão no porão. Thor abaixou-se e pegou o caldeirão pela borda, erguendo-o lentamente, como se fizesse um grande esforço.

– Você consegue levantá-lo, mas pode carregá-lo? – desafiou o gigante.

— Vou tentar fazer isso – disse Thor. Ele ergueu o caldeirão e o colocou na cabeça. Então, caminhou até a porta e saiu da casa antes que o gigante pudesse colocar as mãos sobre ele. Uma vez fora da casa, começou a correr. Estava do outro lado da montanha antes de olhar para trás. Ouviu um grito pavoroso e viu a velha gigante com um monte de cabeças correndo atrás dele. Thor correu colina acima e abaixo, com o caldeirão de um quilômetro de diâmetro em sua cabeça e a velha gigante em sua perseguição. Atravessou a floresta densa e correu por cima da alta montanha, mas ainda assim a gigante continuava a perseguição. Finalmente, saltando sobre um lago, ela caiu e Thor se livrou dela.

Quando Thor voltou, foi recebido pelos Æsir e Vanir em triunfo. E aqueles que mais riram das zombarias de Loki se levantaram e aplaudiram quando ele entrou. O hidromel foi preparado, e o maior banquete que os reis dos gigantes deram em homenagem aos habitantes de Asgard foi servido e desfrutado com alegria.

Uma figura estranha e silenciosa estava sentada no banquete. Era um gigante e ninguém sabia quem ele era nem de onde tinha vindo. Mas quando o banquete terminou, Odin, o mais velho dos deuses, virou-se para esta figura e disse:

— Ó Skyrmir, rei gigante de Utgard, levante-se agora e conte a Thor tudo o que você fez com ele quando ele e Loki visitaram sua cidade.

Então o estranho no banquete se levantou, e Thor e Loki viram que ele era o rei gigante em cujos salões eles haviam competido. Skyrmir se virou para eles e disse:

— Thor e Loki, irei revelar a vocês agora as peças que preguei em vocês dois. Fui eu quem vocês encontraram na charneca no dia antes de irem para Utgard. Eu dei a vocês meu nome como Skyrmir e fiz tudo que poderia para prevenir a sua entrada em nossa cidade, pois os gigantes temiam uma competição de força com Asa Thor. Agora ouça-me, Thor. A mochila que dei para você tirar provisões estava amarrada com nós mágicos. Ninguém poderia desfazê-los com força ou inteligência. E enquanto você estava se esforçando para desfazê-los, coloquei uma montanha de rocha entre mim e você. Os golpes de martelo, que como você pensava, me atingiram, atingiram a montanha e criaram grandes fendas. Quando conheci a força de seus golpes tremendos, temi cada vez mais sua entrada em nossa cidade.

– Eu vi que você teria que ser derrotado por magia. Seu servo Thialfi foi quem eu enganei primeiro. Pois não foi um jovem gigante que correu contra ele, mas o próprio pensamento, e não há nada mais rápido do que o pensamento. E até você, ó Loki, eu enganei. Quando você tentou se fazer o maior dos comedores, eu coloquei contra você, não um gigante, mas o fogo que devora tudo.

– Você, Thor, foi enganado em todas as competições. Depois que você pegou o chifre para beber, todos ficamos assustados ao ver o quanto você era capaz de consumir, pois o fim daquele chifre estava no mar, e Ægir, que está aqui, pode dizer que depois que você bebeu dele, o nível do mar baixou.

– O gato que você tentou erguer era Nidhögg, o dragão que rói as raízes de Yggdrasil, a Árvore das Árvores. Na verdade, ficamos apavorados quando vimos que você fez Nidhögg se mover. Quando você fez as costas do gato alcançarem o teto de nosso palácio, dissemos a nós mesmos: "Thor é o mais poderoso de todos os seres que conhecemos."

– Por último, você lutou com a bruxa Ellie. A força dela parecia maravilhosa para você, e você se considerou desonrado porque não pôde derrubá-la. Mas saiba, Thor, que Ellie com quem você lutou era a própria idade. Ficamos apavorados de novo ao ver que aquela que pode derrubar tudo não foi capaz de forçá-lo a cair no chão.

Assim Skyrmir falou e, ao terminar, deixou o salão. E mais uma vez os Æsir e os Vanir se levantaram e aplaudiram Thor, o mais forte de todos os que guardavam Asgard.

O tesouro do anão e sua maldição

Agora o banquete do velho Ægir havia acabado e todos os Æsir e os Vanir se prepararam para retornar a Asgard. Dois apenas seguiram por outro caminho – Odin, o mais velho dos deuses, e Loki, o traquinas.

Loki e Odin deixaram de lado tudo o que eles haviam guardado do poder e da força divinos. Estavam indo para o Mundo dos Homens e seriam apenas como homens. Juntos, eles passaram por Midgard, misturando-se a homens de todos os tipos, reis e fazendeiros, foragidos, guerreiros e chefes de família, escravos e conselheiros, homens corteses e rudes. Um dia eles chegaram à margem de um rio poderoso e lá descansaram, ouvindo o bater de ferro sobre ferro em um lugar próximo.

Em uma rocha no meio do rio, eles viram uma lontra. O animal entrou na água e voltou para a rocha com um salmão e o devorou. Então, Odin viu Loki fazer uma coisa sem sentido e má. Pegando uma grande pedra, ele atirou na lontra. A pedra atingiu o animal no crânio e o derrubou morto.

– Loki, Loki, por que você fez uma coisa tão cruel? – espantou-se Odin. Loki apenas riu. Ele nadou até a rocha e voltou com a criatura. – Por que você tirou a vida da lontra? – insistiu Odin.

– A maldade em mim me fez fazer isso – disse Loki. Ele sacou sua faca e, rasgando a lontra, começou a esfolá-la. Tirando a pele do animal, dobrou-a e a enfiou no cinto. Então Odin e ele deixaram aquele lugar.

Eles chegaram a uma casa com duas ferrarias ao lado, e das ferrarias veio o som de ferro batendo em ferro. Entraram na casa e pediram para comer e descansar.

Um velho que estava assando peixe em uma fogueira apontou um banco para eles.

– Descansem aí – disse ele. – Quando o peixe estiver pronto, eu lhes servirei. Meu filho é um excelente pescador e me traz o melhor salmão.

Odin e Loki sentaram-se no banco e o velho continuou a cozinhar.

– Meu nome é Hreidmar – apresentou-se ele – e tenho dois filhos que trabalham nas forjas. Também tenho um terceiro filho. É ele quem pesca para nós. E quem são vocês, caminhantes?

Loki e Odin deram nomes a Hreidmar que não eram aqueles pelos quais eram conhecidos em Asgard ou Midgard. Hreidmar serviu peixe para eles e eles comeram.

– E que aventuras vocês tiveram em suas viagens? – Hreidmar perguntou. – Poucas pessoas vêm aqui para me contar os acontecimentos.

– Eu matei uma lontra com uma pedrada – Loki disse com uma risada.

– Você matou uma lontra! – Hreidmar gritou. – Onde a matou?

– Onde eu o matei não tem importância para você, velho – disse Loki. – Sua pele é boa, no entanto. Eu a trago no meu cinto.

Hreidmar arrancou a pele do cinto de Loki. Assim que a pegou, gritou:

– Fafnir, Regin, meus filhos, venham aqui e tragam seus escravos. Venham, venham logo!

– Por que você grita tanto, velho? – quis saber Odin.

– Vocês mataram meu filho Lontra! – gritou o velho. – Esta, em minhas mãos, é a pele do meu filho.

Nisso, dois jovens carregando martelos de forjar entraram seguidos pelos escravos.

– Matem esses homens com seus martelos, Fafnir e Regin! – ordenou o pai. – A lontra, meu filho a quem transformei por encantamento em uma criatura do rio para que pudesse pescar para mim, foi morta por esses homens.

– Paz – pediu Odin. – Nós matamos seu filho, ao que parece, mas foi sem querer que cometemos o crime. Compensaremos a morte de teu filho.

– Que compensação você dará? – perguntou Hreidmar, olhando para Odin com seus olhos pequenos e penetrantes.

Então Odin, o mais velho dos deuses, disse uma palavra que era indigna de sua sabedoria e poder, pois em vez de pensar em sabedoria, Odin pensou em ouro.

– Ponha um preço na vida de seu filho e nós pagaremos esse preço em ouro – disse.

– Talvez vocês sejam grandes reis viajando pelo mundo – disse Hreidmar. – Se forem, terão de encontrar tanto ouro quanto todos os pelos daquele a quem mataram.

Então Odin, com a mente fixada no ouro, lembrou-se de um tesouro guardado por um anão. Nenhum outro tesouro nos nove mundos seria suficiente para pagar a recompensa que Hreidmar reivindicou. Ele pensou sobre este tesouro e em como poderia ser obtido.

– Você, Loki, conhece o tesouro de Andvari? – perguntou

– Sim e sei onde está escondido. Quer, Odin, que eu vá buscar o tesouro de Andvari?

Odin falou com Hreidmar.

– Ficarei aqui como refém, se permitir que meu companheiro vá buscar um tesouro que pagará o preço que você reivindicou.

– Vou deixar que isso seja feito – disse o velho Hreidmar com os olhos penetrantes e astutos. – Vá agora – disse ele a Loki, e Loki se foi.

Andvari era um anão que, nos primeiros dias, ganhou para si o maior tesouro dos nove mundos. Para guardar o tesouro, transformou-se em peixe – em um lúcio – e postou-se nadando diante da caverna onde o tesouro estava escondido.

Todos em Asgard sabiam do anão e do tesouro que ele guardava. Sabiam também que algum mal estava associado a ele. Mas agora Odin dera a ordem de que fosse tirado do anão. Loki partiu para a caverna de Andvari alegremente. E esperou para ver Andvari. Logo, viu o peixe nadando cautelosamente diante da caverna.

Ele teria que pegar o lúcio e detê-lo para que o tesouro fosse dado como resgate. Enquanto observava, o lúcio percebeu sua presença. De repente, ele desceu rapidamente o riacho.

Nem com as mãos e nem com nenhum anzol e linha poderia Loki pegá-lo. Como, então, ele poderia capturá-lo? Só com uma rede tecida por magia. Então Loki pensou em onde poderia conseguir tal rede.

Ran, a esposa do velho Ægir, o rei gigante do mar, tinha uma rede tecida por magia. Loki se lembrou da rede de Ran e foi ao salão de Ægir, perguntar pela rainha. Mas Ran raramente estava na casa de seu marido. Ela agora estava nas rochas do mar.

Loki a encontrou tirando das profundezas, com sua rede, cada peça dos tesouros perdidos no mar. Ela havia feito uma pilha das coisas que havia tirado do oceano: corais e âmbar, objetos de ouro e prata, mas ainda jogava sua rede avidamente.

— Você me conhece, esposa de Ægir — disse Loki para ela.

— Sim, Loki.

— Empreste-me sua rede — pediu Loki sem demora.

— Isso eu não farei — respondeu a rainha Ran.

— Empreste-me sua rede para que eu possa pegar Andvari, o anão, que se gaba de ter um tesouro maior do que você jamais tiraria do mar.

A fria rainha do mar parou de jogar sua rede. Olhou Loki com firmeza. Sim, se ele fosse pegar Andvari, ela emprestaria sua rede. Ela odiava todos os anões porque haviam lhe dito que eles tinham tesouros maiores do que os dela. Mas ela odiava especialmente Andvari, o anão que tinha o maior tesouro dos nove mundos.

— Se jurar trazer minha rede de volta amanhã, eu a emprestarei a você.

— Eu juro pelas faíscas de Muspelheim que eu devolverei sua rede amanhã, rainha de Ægir!

Então Ran colocou nas mãos de Loki a rede mágica, e ele correu até o anão, transformado em lúcio, guardava seu maravilhoso tesouro.

Escuras eram as águas em que Andvari nadava como um lúcio, mas para ele tudo era iluminado pela luz de seu tesouro. Enquanto nadava diante da caverna, percebeu novamente uma sombra acima dele. Deslizou para baixo do barranco da margem. Então, ao se virar, viu uma rede voando em sua direção. Ele mergulhou rapidamente, mas a rede mágica se abriu, e ele caiu em suas malhas.

De repente, ele estava fora da água e ofegante na margem. Ele teria morrido se não tivesse se transformado de volta em anão.

— Andvari, você foi pego. Um dos Æsir o capturou — ele ouviu seu captor dizer.

– Loki – ele se engasgou.

– Você foi pego e será mantido prisioneiro – Loki disse a ele. – É a vontade dos Æsir que você entregue seu tesouro para mim.

– Meu tesouro, meu tesouro! – o anão gritou. – Nunca vou desistir do meu tesouro.

– Eu o prenderei até que você me dê – insistiu Loki.

– Injusto! Injusto! – gritou Andvari. – É só você, Loki, que é injusto. Eu irei ao trono de Odin e o farei punir você por roubar meu tesouro.

– Odin me enviou para buscar o seu tesouro para ele – disse Loki.

– Será que todos os Æsir são injustos? Ah, sim. No começo do mundo, eles enganaram o gigante que construiu a muralha ao redor de sua cidade. Os Æsir são injustos.

Loki tinha Andvari em seu poder, e não havia nada que o anão pudesse fazer, além de ceder. Tremendo de raiva e com o rosto coberto de lágrimas, Andvari levou Loki para sua caverna e, virando uma pedra de lado, mostrou a ele o monte de ouro e pedras preciosas.

Imediatamente Loki começou a juntar na rede mágica peças, lingotes e argolas de ouro cravejados de rubis, safiras e esmeraldas. Ele viu Andvari pegar algo da pilha, mas não disse nada. Por fim, tudo foi recolhido na rede, e Loki estava pronto para levar o tesouro do anão embora.

– Ainda falta uma coisa – falou Loki – o anel que você, Andvari, pegou da pilha.

– Não peguei nada – protestou o anão. Mas ele tremia de raiva e seus dentes rangeram e a espuma apareceu em seus lábios. – Eu não peguei nada da pilha – repetiu.

Mas Loki puxou seu braço e caiu no chão o anel que Andvari tinha escondido sob sua axila.

Era a coisa mais preciosa de todo o tesouro, pois este anel por si só poderia fazer ouro. Era feito de ouro refinado de impurezas e gravado com uma runa de poder.

Loki pegou o anel e o colocou em seu dedo. Então o anão gritou com ele, virando os polegares em uma maldição:

– O anel com a runa do poder será carregado com o mal. Você, Loki, e todos os que desejam possuir o anel que eu adoro serão amaldiçoados.

Quando Andvari proferiu essa maldição, Loki viu uma figura se levantar na caverna e se mover em direção a ele. Quando esta figura se aproximou, ele soube quem era: Gulveig, uma mulher gigante que já estivera em Asgard.

Bem no passado, nos primeiros dias, quando os deuses chegaram à sua colina sagrada e antes que Asgard fosse construída, três mulheres gigantes viveram entre os Æsir. Depois que as três estiveram com eles por um tempo, a vida dos Æsir mudou. Então eles começaram a valorizar e a acumular ouro. E pensaram em guerra. Odin arremessou sua lança contra os mensageiros dos Vanir, e a guerra veio ao mundo.

As três foram expulsas de Asgard. A paz foi feita com os Vanir. As Maçãs da Juventude Duradoura foram cultivadas em Asgard. A ânsia por ouro foi controlada. Mas nunca mais os Æsir ficaram tão felizes quanto antes de as três gigantes viverem entre eles.

Gulveig era uma das três que destruíram a felicidade dos deuses. E eis que ela estava na caverna onde Andvari havia acumulado seu tesouro e com um sorriso no rosto avançou na direção de Loki.

– Então, Loki – disse ela – encontrei você de novo. E Odin, que enviou você a esta caverna, me verá novamente. Vê, Loki! Vou a Odin para ser sua mensageira e dizer-lhe que você traz o tesouro de Andvari.

Falando assim e sorrindo, Gulveig saiu da caverna com passos rápidos e leves. Loki juntou as pontas da rede mágica e, com todo o tesouro em suas malhas, também saiu.

Odin estava apoiado em sua lança olhando para a pele da lontra estendida diante dele. Alguém entrou na habitação rapidamente. Odin olhou e viu que aquela que havia entrado com passos tão rápidos e alegres era Gulveig, que perturbara a felicidade dos deuses. Odin ergueu sua lança para arremessá-la contra a gigante.

– Abaixe sua lança, Odin – ela disse. – Eu morei por muito tempo na caverna do anão. Mas sua palavra me libertou, e a maldição que pesa sobre o anel de Andvari me fez vir até aqui. Abaixe sua lança e olhe para mim, ó mais velho dos deuses.

– Se vocês dois, Odin e Loki, conseguiram ouro e podem entrar em Asgard, certamente eu, Gulveig, estou livre para entrar em Asgard também – argumentou ela.

Odin abaixou sua lança, suspirando profundamente.

– Certamente é assim, Gulveig – concordou ele. – Eu não posso proibir você de entrar em Asgard. Eu deveria ter pensado em dar como recompensa um gole do hidromel de Kvasir ou a água do Poço de Mímir em vez deste ouro.

Enquanto eles falavam, Loki entrou na casa de Hreidmar. Ele colocou no chão a rede mágica. O velho Hreidmar com seus olhos penetrantes, o enorme Fafnir e o magro e faminto Regin também entraram para contemplar o ouro e as joias que brilhavam através das malhas. Hreidmar gritou:

– Ninguém pode estar aqui, exceto estes dois deuses e eu, enquanto avaliamos o ouro e as pedras preciosas e vemos se a recompensa é suficiente.

Então Fafnir e Regin foram forçados a sair da casa. Eles saíram lentamente e Gulveig foi com eles, sussurrando para ambos.

Com as mãos trêmulas, o velho Hreidmar estendeu a pele que antes cobria seu filho. Ele virou as orelhas, a cauda e as patas para que cada fio de seu pelo pudesse ser visto. Por muito tempo ficou de joelhos, seus olhos penetrantes procurando, procurando por cada pelo. E ainda de joelhos disse:

– Comecem agora, ó reis, e cubram com uma gema ou uma peça de ouro cada pelo que era de meu filho.

Odin ficou apoiado em sua lança, observando o ouro e as joias sendo distribuídos. Loki pegou o ouro – lingotes, pepitas, argolas – e as joias – rubis, esmeraldas e safiras – e começou a colocá-las sobre cada pelo. Logo, a pele estava toda coberta até o meio. Em seguida, ele colocou as pedras preciosas e o ouro sobre as patas e a cauda. A pele de lontra ficou tão brilhante que se poderia pensar que iluminaria o mundo. E ainda assim Loki continuou procurando um lugar onde uma joia ou um pedaço de ouro pudesse ser colocado.

Por fim, ele se levantou. Cada joia e cada peça de ouro foram retiradas da rede. E todos os pelos da pele da lontra estavam cobertos com uma pedra preciosa ou uma peça de ouro.

Ainda assim o velho Hreidmar, de joelhos, espiava por cima da pele, procurando pelo que não estivesse coberto. Por fim, ele se ergueu. Sua boca estava aberta, mas ele estava sem palavras. Ele tocou Odin nos joelhos e, quando Odin se abaixou, ele lhe mostrou um fio que tinha sido deixado descoberto.

– O que você quer dizer? – Loki gritou, virando-se para o homem agachado.

– Seu resgate ainda não foi pago. Olhe, aqui ainda há um fio descoberto. Você não pode ir até que todos os pelos estejam cobertos com ouro ou uma pedra preciosa.

– Paz, velho – pediu Loki asperamente. – Todo o tesouro do anão lhe foi dado.

– Você não pode ir até que todos os pelos tenham sido cobertos - repetiu Hreidmar.

– Não há mais ouro ou joias – Loki respondeu.

– Então vocês não podem ir! – gritou Hreidmar, pondo-se de pé.

E então Odin viu o brilho de ouro no dedo de Loki: era o anel que ele havia tomado de Andvari.

– Seu anel – disse Odin. – Coloque-o sobre o pelo descoberto da pele da lontra.

Loki tirou o anel gravado com a runa do poder e o colocou no último pelo descoberto. Então Hreidmar bateu palmas e gritou alto. O enorme Fafnir e o magro e faminto Regin entraram, e Gulveig veio atrás deles. Eles ficaram ao redor da pele que brilhava com o ouro e as pedras preciosas. Mas eles se entreolharam mais do que olharam para o tesouro, e muito mortais foram os olhares que Fafnir e Regin lançaram sobre o pai e um sobre o outro.

Por Bifröst, passaram de volta a Asgard todos os Æsir e os Vanir que estiveram na festa do velho Ægir – Frey e Freya, Frigga, Iduna e Sif; Tyr com sua espada e Thor em sua carruagem puxada por cabras. Loki estava atrás deles, e por último ia Odin. Ele seguia lentamente, com a cabeça baixa, pois sabia que uma indesejável o estava seguindo – Gulveig, que uma vez havia sido expulsa de Asgard e cujo retorno agora os deuses não poderiam impedir.

PARTE III

O coração da bruxa

Presságios em Asgard

O que aconteceu depois foi uma vergonha para os deuses, e os mortais mal podem falar disso. Gulveig entrou em Asgard, pois Heimdall não poderia proibir sua entrada. Ela entrou e ocupou seu assento entre os Æsir e os Vanir. Passeava por Asgard com um sorriso no rosto e por onde passava, um espanto e terríveis presságios sobrevinham.

Aqueles que sentiram o alarme e o mau pressentimento mais profundamente foram Bragi, o poeta, e sua esposa, a bela e simples Iduna, ela que colhe as maçãs que impedem que os habitantes de Asgard envelheçam. Bragi parou de contar sua história sem fim. Então, um dia, superado pelo medo e o pressentimento que estava rastejando por Asgard, Iduna desceu por Yggdrasil, a Árvore do Mundo, sem deixar ninguém para colher as maçãs com as quais os Æsir e os Vanir mantiveram sua juventude.

Então, todos os habitantes de Asgard ficaram profundamente consternados. Força e beleza começaram a desaparecer de tudo. Thor achou difícil erguer Miölnir, seu grande martelo, e a pele sob o colar de Freya perdeu seu brilho. E ainda assim Gulveig, a bruxa, passeava sorrindo por Asgard, embora fosse odiada por todos.

Diante da situação, Odin e Frey saíram em busca de Iduna. Ela teria sido encontrada e trazida de volta sem demora, se Frey tivesse consigo a espada mágica que ele havia trocado por Gerda. Em sua busca, ele teve que lutar com Beli, que guardava o lago onde Iduna havia se escondido. Frey o venceu no final com uma arma feita de chifres de veado. Assim, Frey e Odin encontraram Iduna e a trouxeram de volta. Apesar do retorno de Iduna, pairava sobre Asgard uma inquietação. Seus habitantes sentiam que a bruxa Gulveig estava mudando os pensamentos dos deuses.

Por conta disto, os deuses acusaram a bruxa, e Odin teve que levar Gulveig a julgamento. Ela foi, então, condenada à morte. E apenas Gungnir, a lança de Odin, poderia matar Gulveig, que não era mortal.

Então, Odin lançou Gungnir. A lança atingiu Gulveig, mas ela continuou sorrindo para os deuses. Uma segunda vez Odin arremessou sua lança. Uma segunda vez, Gungnir feriu a bruxa. Ela ficou lívida como uma morta, mas não caiu. Pela terceira vez, Odin arremessou sua lança. E agora, ferida pela terceira vez, Gulveig deu um grito que fez todos os Asgard estremecerem e caiu morta.

– Eu a executei neste salão, onde matar é proibido – declarou Odin. – Peguem agora o cadáver de Gulveig e creme-o nas muralhas, para que nenhum vestígio da bruxa que nos incomodou permaneça em Asgard.

Assim fizeram os deuses e chamaram Hræsvelgur para aumentar a chama – Hræsvelgur, o gigante em forma de águia que fica na orla do céu e que, com suas asas, faz os ventos soprarem sobre a Terra.

Bem longe estava Loki quando tudo isso tudo aconteceu. Frequentemente, agora, ele partia de Asgard em viagens eram para ver o tesouro maravilhoso do anão Andvari. Foi Gulveig quem o influenciou a pensar no tesouro. Agora, ao retornar e ouvir o que tinha sido feito com a bruxa, uma enorme raiva brotou dentro dele, pois Loki era um daqueles cujas mentes estavam sendo enfeitiçadas pela presença da bruxa Gulveig. Sua mente estava mudando, e agora ele começava a odiar os deuses. Ele foi para o local onde o corpo de Gulveig havia sido cremado. Todo o seu cadáver tinha sido reduzido a cinzas, exceto seu coração. E Loki, em sua raiva, pegou o coração da bruxa e o comeu.

E terrível para Asgard foi o dia em que Loki comeu o coração que as chamas não devoraram!

Loki, o traidor

Depois de comer o coração de Gulveig, Loki roubou o vestido de penas de falcão de Frigga e voou para fora de Asgard, rumo a Jötunheim.

A raiva e a ferocidade do falcão estavam em Loki, enquanto ele voava pelo reino dos gigantes. As alturas e os abismos daquela terra terrível elevaram seu espírito. Ele viu os redemoinhos de fumaça e as montanhas fumegantes e se alegrou com essas paisagens. Subiu cada vez mais alto até que, olhando para o sul, viu a terra em chamas de Muspelheim. Mais e mais alto ele disparou. Com os olhos de falcão, ele viu o brilho da espada flamejante de Surtur. Todo o fogo de Muspelheim e toda a escuridão de Jötunheim um dia se voltariam contra Asgard e contra Midgard.

Loki viu duas mulheres, cuja feiura e maldade o agradavam, e pairou diante da porta aberta da casa onde as avistara. Lá estava Gerriöd, o mais selvagem de todos os gigantes. E ao lado dele, agachadas no chão, estavam suas duas filhas, as cruéis Gialp e Greip.

Eram grandes e robustas, com dentes de cavalo e cabelos que pareciam crinas. Gialp era a mais feia, se é que se podia dizer que uma era mais feia do que a outra. Falavam de Asgard e de seus habitantes, a quem odiavam – especialmente Thor. Contavam o que gostariam de fazer com ele.

– Eu acorrentaria Thor – dizia Gerriöd – e o espancaria até a morte com meu bastão de ferro.

– Eu transformaria seus ossos em pó – pensou Greip.

— Eu arrancaria a carne de seus ossos — desejou Gialp. — Pai, você não consegue pegar esse Thor e trazê-lo vivo para nós?

— Não enquanto ele tiver martelo Miölnir, as luvas com que segura o martelo e o cinto que duplica a sua força.

— Ah, se pudéssemos pegá-lo sem o martelo, o cinto e as luvas — falaram Gialp e Greip ao mesmo tempo.

Naquele momento, eles viram o falcão pairando diante da porta. Estavam ansiosos por atormentar algum ser, então decidiram capturar o falcão. Eles não se mexeram do lugar onde estavam sentados, mas chamaram o menino Glapp, que estava se balançando na árvore ao lado da casa, e o mandaram pegar o falcão.

Escondido pelas folhas da árvore, Glapp escalou a hera que havia em volta da porta. O falcão pairava perto dele. Então Glapp o agarrou pelas asas e caiu pela hera, gritando e se debatendo enquanto era espancado, arranhado e dilacerado pelas asas, garras e bico do falcão.

Gerriöd, Greip e Gialp correram e seguraram a ave. Quando o gigante o pegou e o examinou, soube que não era um pássaro. Seu olhos mostraram que ele era de Alfheim[8] ou de Asgard. O gigante o trancou em uma caixa até que a criatura falasse.

Logo o falcão bateu na tampa da caixa, e quando Gerriöd abriu Loki falou. O gigante selvagem ficou tão feliz por ter um dos habitantes de Asgard em seu poder que ele e suas filhas não fizeram nada além de rir e rir por dias a fio. E todo esse tempo eles mantiveram Loki na caixa fechada para deixá-lo com fome.

Quando abriram a caixa novamente, Loki disse que faria qualquer mal que eles determinassem aos habitantes de Asgard, se eles o deixassem ir.

---

[8] Um dos nove mundos contidos na árvore Yggdrasil, reino dos Álfar, ou elfos.

— Você vai trazer Thor para nós – determinou Greip.

— Sim, e sem seu martelo, sem suas luvas e sem seu cinto? – emendou Gialp.

— Eu o trarei para vocês se me libertarem – disse Loki. – Thor é facilmente enganado e posso trazê-lo até você sem o martelo, o cinto e as luvas.

— Nós o deixaremos ir, Loki – concordou o gigante –, se jurar pela escuridão de Jötunheim que irá trazer Thor para nós como diz.

Loki jurou, o gigante e suas filhas o deixaram ir. Então, ele voou de volta para Asgard.

Ele devolveu a Frigga seu vestido de falcão. Todos o culparam por tê-lo roubado, mas quando ele contou como havia sido preso sem comida na casa de Gerriöd, aqueles que o julgaram acharam que ele já havia sido punido o suficiente pelo roubo. Ele falou como antes com os habitantes de Asgard, ocultando a raiva e o ódio que sentia por eles desde que havia comido o coração de Gulveig.

Ele conversou com Thor sobre as aventuras que tiveram juntos em Jötunheim. Thor agora gargalhava quando falava sobre quando foi mandado vestido de noiva para Thrym, o gigante.

Assim, Loki conseguiu persuadi-lo a fazer outra viagem para Jötunheim.

— Você não vai acreditar no que vi na casa de Gerriöd – disse ele. – Lá estava o cabelo de Sif, sua esposa.

Thor ficou surpreso.

— Sim, o cabelo que uma vez cortei da cabeça de Sif – disse Loki. – Gerriöd foi quem o encontrou quando eu o joguei fora. Eles iluminam o corredor com o cabelo de Sif. Oh, sim, eles não precisam de tochas por causa do cabelo de Sif.

— Eu gostaria de ver – disse Thor.

— Então faça uma visita a Gerriöd — Loki respondeu. — Mas, se você for à sua casa, terá de ir sem o seu martelo Miölnir, e sem as luvas e o cinto.

— Onde vou deixar Miölnir, e minhas luvas e meu cinto? — Thor perguntou.

— Deixe-os em Valaskjalf, o palácio e Odin — aconselhou o astuto Loki.

— Sim, vou deixá-los em Valaskjalf e irei com você para a casa de Gerriöd — consentiu Thor.

Thor deixou seu martelo, suas luvas e seu cinto em Valaskjalf. Então ele e Loki foram em direção a Jötunheim. Quando estavam perto do final de sua jornada, chegaram a um rio largo e, com um jovem gigante que encontraram na margem, começaram a vadear.

De repente, o rio começou a subir. Loki e o jovem gigante teriam sido arrastados, porém, Thor segurou os dois. Mais e mais alto o rio ficava e mais e mais rápido. Thor teve que plantar seus pés firmemente no fundo ou ele e os dois que segurava teriam sido arrastados rio abaixo pela corrente. Ele lutou para atravessar o rio, segurando o tempo todo Loki e o jovem gigante. As águas ficaram ainda mais fundas, mas Thor foi capaz de levar Loki e o jovem gigante para a margem e tirá-los do rio.

Agora olhando rio acima, ele viu algo que o enfureceu. Era uma gigante que estava provocando uma enchente. Era isso que fazia o rio subir e a corrente ficar mais rápida. Thor pegou uma pedra da margem e atirou nela, atingindo-a. Ela caiu na água e foi levada pela torrente, gritando em desespero. Essa gigante era Gialp, uma das cruéis filhas de Gerriöd.

Quanto ao jovem gigante a quem Thor ajudara a atravessar, ele estava indo visitar Grid, sua mãe, que vivia em uma caverna na encosta, e convidou os dois deuses. Loki não quis ir e ficou furioso ao ouvir que Thor pensava em aceitar o convite do jovem gigante. Mas Thor insistiu.

— Vá então, mas volte logo para a casa de Gerriöd. Eu esperarei por você lá – disse Loki. Ele observou Thor subir a encosta até a caverna de Grid. Depois, viu o deus do trovão descer a encosta e ir em direção à casa de Gerriöd e o viu entrar no lugar onde a morte o esperava. Então, enlouquecido de arrependimento pelo que tinha feito, Loki, com a cabeça apoiada nos ombros, começou a correr. Mas ele não sabia o que tinha acontecido na casa de Grid.

Thor encontrou Grid, a velha gigante, sentada no chão da caverna, moendo grãos entre duas pedras.

— Quem é esse? – ela perguntou, enquanto seu filho conduzia Thor para dentro. – Um dos Æsir! – exclamou ela depois que o menino respondeu. Que gigante você vai ferir agora, Asa Thor? – quis saber ela.

— Eu não vou ferir nenhum gigante, velha Grid – Thor respondeu. – Olhe para mim! Não vê que não tenho Miölnir, meu poderoso martelo, comigo, nem meu cinto, nem minhas luvas de ferro?

— Mas aonde em Jötunheim você vai?

— Para a casa de um gigante amigável. Ele se chama Gerriöd.

— Gerriöd um gigante amigável! Você está fora de si, Asa Thor.

— Conte a ele sobre Gerriöd, velha mãe – pediu o jovem gigante.

— Não à casa dele, Asa Thor. Não vá à casa dele.

— Minha palavra foi dada, e eu seria um covarde se fugisse agora, só porque uma velha sentada em uma pedra me disse que estou caindo em uma armadilha.

— Eu vou lhe dar algo que vai ajudar, Asa Thor. Para sua sorte, eu sou a dona de coisas mágicas e estou grata por ter salvado meu filho. Pegue este cajado. É um cajado de poder e vai substituir Miölnir.

— Vou aceitá-lo, já que você o oferece com gentileza, velha senhora, este cajado carcomido por larvas e insetos.

— E leve essas luvas também. Elas servirão como suas manoplas de ferro.

— Vou aceitá-las, visto que você oferece com bondade, velha senhora, essas luvas velhas e gastas.

— E pegue este pedaço de corda. Ele substituirá seu cinturão que realiza proezas.

— Vou aceitá-lo, já que você o oferece com gentileza, boa velha, este pedaço de corda esfarrapada.

— Saiba, Asa Thor, que sou senhora das coisas mágicas.

Thor colocou a corda gasta em volta da cintura e, ao fazê-lo, soube que Grid, a velha gigante, era de fato dona das coisas mágicas, pois imediatamente sentiu sua força aumentar, como se tivesse colocado seu próprio cinturão de força. Ele então calçou as luvas e pegou o bastão que ela lhe dera.

Assim, Thor deixou a caverna de Grid e foi para a casa de Gerriöd. Loki não estava lá. Foi então que Thor começou a achar que talvez a velha Grid estivesse certa e que uma armadilha estava esperando por ele.

Ninguém estava no corredor de entrada. Ele saiu do corredor e entrou em uma grande câmara de pedra e também não viu ninguém lá. Mas, no centro da câmara, havia um assento de pedra, e Thor foi até ele e sentou-se nele.

Entretanto, assim que ele se sentou, o assento foi arremessado para cima. Thor teria sido esmagado contra o teto de pedra, não fosse pelos objetos mágicos que tinha ganhado de Grid. Tão grande era o poder do cajado, tão grande era a força que a corda lhe conferia, que o assento não chegou ao teto, caindo no chão de pedra.

O deus do trovão ouviu gritos horríveis sob o assento. Thor o levantou e viu dois corpos horrivelmente quebrados. As filhas do gigante, Gialp e Greip, esconderam-se sob o assento de pedra para assistir à morte de Thor, mas acabaram sendo esmagadas contra o chão.

Thor saiu daquela câmara com os dentes cerrados. Um grande fogo estava aceso no salão e, ao seu lado, estava Gerriöd, o gigante de braços longos.

O gigante pegou uma pinça do fogo, com a qual apanhou uma cunha de ferro em brasa. Quando Thor veio em sua direção, ele ergueu a pinça e arremessou a cunha. Ela voou direto para a testa de Thor. No entanto, Thor ergueu as mãos e segurou a cunha de ferro em brasa com as luvas que a velha Grid lhe dera. Rapidamente ele atirou de volta em Gerriöd, atingindo-o na testa e derrubando-o no fogo. A queda espalhou brasas pela casa, e logo um incêndio começou. Quando Thor voltou à caverna de Grid para devolver à velha gigante a corda, as luvas e o bastão de poder que ela lhe dera, ele viu a casa do gigante em tal claridade que parecia que as chamas Muspelheim dela se erguiam.

Loki contra os Æsir

Os Æsir foram convidados dos Vanir para irem ao palácio de Frey para festejarem a amizade dos dois clãs divinos. Odin e Tyr estavam lá, Vidar e Vali, Niörd, Frey, Heimdall e Bragi. Também Frigga, Freya, Iduna, Gerda, Skadi, Sif e Nanna. Mas Thor e Loki não foram ao banquete, pois eles haviam deixado Asgard.

No palácio de Frey, os vasos e bandejas eram de ouro brilhante. Eles iluminavam o salão e se moviam por conta própria para servir aos convidados. Tudo era paz e amizade, até Loki entrar no salão.

Frey, sorrindo e lhe dando boas-vindas, mostrou um banco para Loki sentar-se. Era ao lado de Bragi e de Freya. Entretanto, Loki não aceitou o lugar. Em vez disso, gritou:

– Não ao lado de Bragi me sentarei. Não ao lado de Bragi, o mais covarde de todos os habitantes de Asgard.

Bragi se levantou enfurecido com a afronta, mas sua esposa, a branda Iduna, o acalmou. Freya se virou para Loki e o repreendeu por falar palavras ofensivas em um banquete.

– Freya – provocou Loki –, por que você traiu Odur? Não teria sido bom continuar casada com seu marido, em vez de perder a confiança dele por causa de um colar que tanto ansiava?

Todos se surpreenderam com a amargas palavras e olhares de Loki. Tyr e Niörd se levantaram. Mas então a voz de Odin foi ouvida e todos se calaram.

– Tome o lugar ao lado de Vidar, meu filho silencioso, ó Loki – disse Odin. – E deixe sua língua, que goteja amargura, em silêncio.

– Todos os Æsir e Vanir ouvem suas palavras, Odin, como se você fosse sempre sábio e justo – replicou Loki. – Mas devemos esquecer que você trouxe a guerra ao mundo quando atirou sua lança nos enviados dos Vanir? E você não me permitiu usar de astúcia com aquele que construiu as muralhas ao redor de Asgard? Fale, Odin, e todos os Æsir e Vanir escutam! Mas não foi você que tirou a bruxa Gulveig da caverna onde ela estava com tesouro do anão? Você nem sempre é sábio ou justo, Odin, e nós aqui à mesa não precisamos ouvir você como se fosse.

Então Skadi, a esposa de Niörd, dirigiu-se a Loki. Falou com toda a ferocidade de seu sangue gigante.

– Por que não nos levantamos e perseguimos esse corvo tagarela? – propôs.

– Skadi – disse Loki –, lembre-se de que o resgate pela morte de seu pai ainda não foi pago. Você ficou feliz em arrebatar um marido em vez dele. Lembre-se de quem foi que matou seu pai. Fui eu, Loki! E nenhum resgate paguei por isso, embora você tenha vindo entre nós em Asgard.

Então Loki fixou seus olhos em Frey, o anfitrião, e ia começar a ofendê-lo, quando Tyr, o bravo espadachim, levantou-se e disse:

– Não fale mal de Frey, Loki. Frey é generoso; ele é aquele entre nós que poupa os vencidos e liberta os cativos.

– Cale-se, Tyr! – gritou Loki. – Nem sempre você terá uma mão para segurar essa sua espada. Lembre-se destas minhas palavras nos dias que virão!

– Frey – continuou ele –, só porque é o anfitrião deste banquete, eles acham que não direi a verdade sobre você. Mas não me calarei por causa da sua generosidade. Você não mandou Skirnir à casa de Gymer para enganar o aventureiro. Não o subornou para levá-la a se casar com você?

Quando ele disse isso, todos os Vanir que estavam lá se levantaram, seus olhares ameaçando Loki.

– Fiquem quietos, Vanir! – Loki ralhou. – Se os Æsir forem suportar o impacto da guerra de Jötunheim e Muspelheim contra Asgard, caberá a vocês serem os primeiros e os últimos na planície de Vigard. Mas vocês já perderam a batalha por Asgard, pois a arma que foi colocada nas mãos de Frey ele trocou por Gerda, a gigante. Ha! Surtur triunfará sobre vocês!

Furiosos, todos os presentes queriam punir Loki, mas apenas a voz de Odin soou. Em seguida, um novo convidado apareceu na entrada do salão de festas. Era Thor. Com o martelo em seu ombro, calçando suas luvas de ferro e com seu cinto de força ao redor da cintura, encarava Loki com olhos furiosos.

– Ah Loki, traidor! – gritou. – Você planejou me matar na casa de Gerriöd, mas agora você vai encontrar a morte com o golpe deste martelo.

Ele ergueu a mão para arremessar Miölnir. Mas Odin ordenou:

– Você não pode matá-lo neste salão, Thor. Mantenha as mãos sobre o martelo.

Em seguida, encolhendo-se diante da ira nos olhos de Thor, Loki saiu do salão. Foi para além das muralhas de Asgard e cruzou Bifröst, a ponte arco-íris. E ele amaldiçoou Bifröst, e ansiava por ver o dia em que os exércitos de Muspelheim a destruiriam em sua investida contra Asgard.

A leste de Midgard havia um lugar mais maligno do que qualquer região de Jötunheim. Era Jarnvid, Madeira de Ferro.

Nessa floresta, viviam as mais selvagens mulheres trolls[9]. E elas tinham uma rainha, uma troll mãe de muitos filhos que assumiram a forma de lobos. Dois de seus filhos eram Skoll e Hati, que perseguiram Sol e Mani, a Lua. Ela teve um terceiro filho, Managarm, o lobo que consumiria o sangue vital dos homens, que engoliria a Lua e mancharia os céus e a terra com sangue. Para Jarnvid, foi Loki. E ele se casou com uma das mulheres de lá, Angerboda, e eles tiveram filhos que assumiram formas terríveis. Os descendentes de Loki seriam os mais terríveis inimigos que lutariam contra os Æsir e os Vanir no tempo que seria chamado de Crepúsculo dos Deuses.

---

[9] Antigas fontes nórdicas descrevem seres chamados "trolls" vivendo em áreas isoladas, em rochas, montanhas ou cavernas, em pequenas unidades familiares e que raramente ajudam os seres humanos. No folclore escandinavo posterior, os trolls tornaram-se seres com características próprias, vivendo longe dos humanos. São considerados perigosos para os homens, mulheres e crianças, por cuja carne têm predileção, especialmente de bebês. Dependendo da fonte, sua aparência varia muito, mas, em geral, os trolls são grotescos e de raciocínio lento.

A Valquíria

Para ajudar a combater os cavaleiros de Muspelheim, os gigantes e os poderes maléficos do submundo, quando atacassem Asgard, Odin, O Pai de Todos, convocou mais defensores para Asgard. Eles não eram Æsir nem Vanir. Eram da raça de homens mortais, heróis escolhidos entre os mortos nos campos de batalha em Midgard.

Para escolher os heróis e conceder vitória, Odin enviava donzelas guerreiras que iam para os campos de batalha. Lindas e destemidas eram elas, e também sábias, pois Odin as iniciou nas Runas da Sabedoria. Valquírias, escolhedoras de mortos, O Pai de Todos as chamou.

Aqueles escolhidos nos campos dos mortos eram chamados, em Asgard, de Einherjar. Para eles, Odin preparou um grande salão. Valhalla, o Salão dos Mortos, era como se chamava. Quinhentas e quarenta portas tinha o Valhalla, e por cada porta oitocentos campeões poderiam passar. Todos os dias os campeões vestiam suas armaduras, retiravam as armas dos suportes nas paredes, saíam para o campo de batalha em frente ao salão e lutavam entre si. Todos os feridos eram curados e, em paz, sentavam-se à mesa para o banquete que Odin lhes preparava. O próprio Odin sentava-se com seus campeões, bebendo com eles, mas abstendo-se de carne.

Os campeões comiam a carne do javali Sæhrimnir; todos os dias o javali era morto e cozido, e todas as manhãs estava inteiro novamente. Para beber, bebiam hidromel feito com o leite de Heidrun, a cabra que pastava as folhas da árvore Læradir. E as valquírias, as donzelas guerreiras sábias e destemidas, os serviam, enchendo os chifres com hidromel inebriante.

A mais jovem de todas as donzelas guerreiras era Brynhild. No entanto, Odin, O Pai de Todos, havia a iniciado mais profundamente nas Runas da Sabedoria do que qualquer uma de suas irmãs. E quando chegou a hora de Brynhild viajar para Midgard, ele deu a ela um vestido de pena de cisne como o que havia dado antes para as três irmãs Valquíria – Alvit, Olrun e Hladgrun.

Na deslumbrante plumagem de um cisne, a jovem donzela da batalha voou de Asgard. Ela ainda não tinha que ir para o campo de batalha. As águas a atraíram e, enquanto ela esperava pela vontade do Pai de Todos, procurou um lago que tivesse areias douradas na margem e, como uma donzela, banhou-se nele.

Morava perto deste lago um jovem herói cujo nome era Agnar. E naquele dia, enquanto Agnar estava deitado à beira do lago, ele viu o cisne com uma plumagem deslumbrante voar até ele. E enquanto ela estava junto aos juncos, despiu o vestido de pena de cisne, e Agnar viu o pássaro se transformar em uma donzela.

Tão brilhante era seu cabelo, tão fortes e rápidos eram todos os seus movimentos, que ele a reconheceu como uma das donzelas guerreiras de Odin, aquelas que concedem a vitória e escolhem os mortos. Muito ousado era Agnar, e ele decidiu capturar essa donzela, embora soubesse que a ira de Odin recairia sobre ele.

Ele escondeu o vestido de penas de cisne que ela havia deixado nos juncos. Quando ela saiu da água, não pôde voar. Agnar devolveu a ela o vestido de penas de cisne, mas a fez prometer que seria sua donzela de batalha.

E enquanto conversavam, a jovem valquíria viu nele um herói que poderia ajudar Asgard. Muito valente e muito nobre era

Agnar. Brynhild lhe contou muito sobre as Runas da Sabedoria e lhe disse que a última esperança do Pai de Todos estava na bravura dos heróis de Midgard, escolhidos entre os mortos para serem seus campeões e travar a batalha em defesa de Asgard.

Brynhild sempre estava com os batalhões de Agnar. Acima das batalhas ela pairava, seu cabelo brilhante e seu vestido de batalha, feito de cota de malha reluzente, refletia o brilho das lanças, espadas e escudos dos guerreiros.

Mas o rei de barba grisalha Helmgunnar fez guerra contra o jovem Agnar. Odin favoreceu o rei de barba grisalha e a ele prometeu a vitória. Brynhild conhecia a vontade do Pai de Todos. Mas para Agnar, não para Helmgunnar, ela deu a vitória.

Condenada estava Brynhild no instante em que foi contra a vontade de Odin. Nunca mais ela poderia entrar em Asgard. Era uma mulher mortal agora, e as nornas começaram a tecer o fio de seu destino mortal.

Triste ficou Odin, pois a mais sábia de suas donzelas de batalha nunca mais seria admitida a aparecer em Asgard, nem circular nos banquetes em Valhalla. Ele desceu em seu cavalo Sleipner até onde Brynhild estava. E quando se viu diante dela, baixou sua cabeça em um gesto de humildade.

Ela sabia agora que o Mundo dos Homens estava pagando um preço amargo pela força que Asgard desejava ter na última batalha. Os mais corajosos e nobres estavam sendo retirados de Midgard para preencher as fileiras dos campeões de Odin. E o coração de Brynhild estava cheio de raiva contra os governantes de Asgard, e ela não se importava mais em ser um deles.

Odin olhou para sua inabalável donzela guerreira e perguntou:

– Há algo que você gostaria que eu lhe concedesse em sua vida mortal, Brynhild?

– Nada, exceto que em minha vida mortal ninguém, a não ser um homem sem medo, o mais bravo herói do mundo, possa me tomar por esposa – respondeu Brynhild.

O Pai de Todos concordou pensativo.

– Assim será – confirmou o deus.

Então, no topo da montanha chamada Hindfell, Odin mandou construir um salão voltado para o sul. Dez anões o construíram em pedra negra. E quando o salão ficou pronto, ele o cercou com uma muralha de fogo.

Mais ainda fez Odin: ele pegou um espinho da Árvore do Sono e a cravou na carne da donzela da batalha. Então, ele ergueu Brynhild nos braços, levou-a através da muralha de fogo e a deitou no divã que havia no salão. Lá ela ficaria adormecida até que o herói que não tivesse medo cavalgasse através das chamas e a despertasse para uma vida de mortal.

Ele se despediu dela e cavalgou de volta para Asgard, montando Sleipner. Ele não poderia prever qual seria o destino dela como mortal. Mas o fogo que ele havia erguido foi, durante séculos, uma cerca que protegia Brynhild, a valquíria adormecida.

Os filhos de Loki

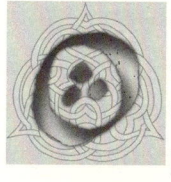

Os filhos de Loki e da troll Angerboda não eram como os filhos dos homens: eram informes como a água, ou o ar, ou o fogo. Contudo, cada um deles podia assumir a forma que desejasse.

Os habitantes de Asgard sabiam que esses poderes do mal haviam nascido e que deveriam assumir formas e aparecer diante deles em Asgard. Então, enviaram um mensageiro para Jarnvid pedindo a Loki que apresentasse aos deuses os filhos nascidos dele e de Angerboda. Assim, Loki entrou em Asgard mais uma vez. E seus filhos assumiram formas e também eles se mostraram aos deuses. O primeiro, cujo desejo era a destruição, mostrou-se como um lobo terrível. Fenrir era seu nome. E o segundo, cuja ambição era a destruição lenta, mostrou-se como uma serpente. Jörmungand era chamada. O terceiro, cujo poder era fazer fenecer toda a vida, também assumiu uma forma horrível: uma mulher, de um lado viva e, do outro, um cadáver. O medo percorreu Asgard quando essa forma foi revelada e o nome que a acompanhava, Hela, foi pronunciado.

Longe da vista dos deuses, Hela foi exilada. Odin a jogou nas profundezas que ficam abaixo do mundo, em Niflheim, onde ela assumiu o poder sobre as nove regiões. Lá, no lugar mais baixo de todos, Hela reina. Seu salão é Elvidnir, redondo com altas muralhas e portões gradeados. O precipício é o limiar desse palácio, e a fome é quem serve sua mesa; medo é a cama, e angústia ardente é a câmara.

Thor agarrou Jörmungand. Ele jogou a serpente no oceano que banha o mundo. Mas nas profundezas do oceano Jörmungand se desenvolveu. Ela cresceu e cresceu até circundar o mundo inteiro. E os homens passaram a conhecê-la como a serpente de Midgard.

Fenrir, o lobo, não pôde ser agarrado por nenhum dos Æsir. Ele percorreu Asgard e os deuses só foram capazes de levá-lo ao pátio externo com a promessa de dar-lhe toda a comida que ele pudesse comer.

Os Æsir temiam alimentar Fenrir. Mas Tyr, o bravo espadachim, estava disposto a levar comida para o covil do lobo. Todos os dias ele levava muitas provisões e o alimentava com a ponta de sua espada. O lobo cresceu e cresceu até se tornar monstruoso e um terror nas mentes dos habitantes de Asgard.

Por fim, os deuses em conselho consideraram isso e decidiram que Fenrir deveria ser preso. A corrente com a qual o amarrariam chamava-se Laeding. Ela foi forjada na própria ferraria dos deuses e seu peso era maior do que o martelo de Thor.

Contudo, os deuses não conseguiram colocar o grilhão sobre Fenrir à força, então eles enviaram Skirnir, o servo de Frey, para induzir o lobo a deixá-lo colocar a corrente nele. Skirnir foi até seu covil e parou perto dele. O tamanho monstruoso do lobo o surpreendeu.

– Quão forte é você, Poderoso? – Skirnir perguntou. – Os deuses duvidam que você seja capaz de quebrar esta corrente.

Com desprezo, Fenrir olhou para o grilhão que Skirnir trazia. Com desprezo, ele permaneceu imóvel, permitindo que Laeding fosse colocada nele. E com um pequeno esforço, após se espreguiçar, quebrou a corrente em dois.

Os deuses ficaram consternados. Mas eles pegaram mais ferro e, com fogos maiores e golpes de martelo mais poderosos, forjaram outro grilhão. Dromi, como se chamou, era duas vezes mais forte que Laeding. Skirnir, o Aventureiro, levou a corrente para o covil do Lobo. Indiferente, Fenrir permitiu que a corrente mais poderosa fosse colocada nele.

Ele se sacudiu e a corrente resistiu. Então seus olhos tornaram-se ferozes, e ele se esforçou de novo. Dessa vez, Dromi rompeu, e Fenrir ficou olhando malignamente para Skirnir.

Os deuses viram que nenhuma corrente que pudessem forjar prenderia Fenrir e começaram a temê-lo cada vez mais. Reuniram-se em conselho e pensaram nos trabalhos maravilhosos que os anões haviam feito para eles: a lança Gungnir, o navio Skidbladnir, o martelo Miölnir. Será que o anões conseguiriam fazer uma corrente que pudesse prender Fenrir? Se eles fizessem isso, os deuses aumentariam seu domínio.

Skirnir desceu para Svartheim com a mensagem de Asgard. O líder dos anões inchou de orgulho ao pensar que cabia a eles fazer a corrente que amarraria Fenrir.

– Nós, anões, podemos fazer uma corrente que prenda o lobo – afirmou ele. – Mas precisamos de seis elementos para podermos fazer isto.

– O que são esses seis elementos? – Skirnir perguntou.

– As raízes das pedras, o sopro de um peixe, as barbas das mulheres, o barulho das pegadas dos gatos, os tendões dos ursos, a saliva de um pássaro.

– Nunca ouvi o barulho de passos de gato, nem vi raízes de pedras nem barbas de mulheres. Mas usem o que quiserem, ajudantes dos deuses!

O chefe trouxe, então, as seis coisas necessárias para fabricar a corrente, e os anões em sua ferraria se puseram a trabalhar dias e noites seguidos. Eles forjaram uma corrente macia e flexível como seda chamada Gleipnir. Skirnir a levou para Asgard e a colocou nas mãos dos deuses.

Então, os deuses tentaram mais uma vez prender Fenrir com uma corrente. O plano era prendê-lo em um lugar longe de Asgard. Lyngvi era uma ilha que os deuses frequentavam para caçar, esquiar e outras diversões e convidaram o lobo para ir para lá com eles. Fenrir rosnou que os acompanharia. E assim foi. A fera se divertiu de sua maneira terrível e, e então, como se fosse para brincar, um dos Æsir sacudiu a corrente lisa e a mostrou a Fenrir.

– É mais forte do que você imagina, mais poderosa. Nós duvidamos que você possa quebrá-la!

Fenrir, com seus olhos ferozes, olhou com desprezo para eles.

– O que eu ganharia com isto? – desdenhou:

Eles lhe mostraram que ninguém em seu clã podia quebrá-la, por mais fina que a corrente fosse.

– Só você é capaz de quebrá-la, ó poderoso – disseram os deuses.

– A corrente é fina, mas pode haver um encantamento nela – observou Fenrir.

Mas a ira voraz do lobo, pois ele vivia do medo que criava nas mentes dos deuses, levou-o a aceitar o desafio. Contudo, colocou uma condição:

– Se um dos Æsir colocar a mão na minha boca como prova da promessa de que serei libertado, deixo que vocês coloquem a corrente em mim.

Os deuses olharam melancolicamente um para o outro. Quem arriscaria perder a mão para prender a fera? Um a um, os Æsir recuaram. Mas não Tyr, o bravo espadachim. Ele se aproximou de Fenrir e colocou sua mão esquerda diante das enormes presas.

– Não a mão esquerda, mas a mão com a qual empunha

sua espada, Tyr – rosnou Fenrir. E Tyr colocou sua mão direita dentro daquela boca terrível.

Em seguida, a corrente Gleipnir foi colocada em Fenrir. Com olhos de fogo, ele observou os deuses amarrá-lo. Quando estava preso, ele se espreguiçou como antes. Esticou-se até ficar de um tamanho monstruoso, mas a corrente não partiu. Então, com uma fúria incontrolável, ele fechou as mandíbulas na mão de Tyr, arrancando-a.

Mas Fenrir estava preso. Os deuses passaram a corrente por um buraco que perfuraram em uma grande rocha, de modo que Fenrir podia andar apenas o comprimento da corrente. O monstruoso lobo fez esforços terríveis para se soltar, mas a pedra e a corrente resistiram. Vendo-o preso e para vingar a perda da mão de Tyr, os deuses pegaram a espada de Tyr e a cravaram até o cabo em sua mandíbula. O lobo uivou de um modo terrível. A espuma escorreu de suas mandíbulas em profusão. E essa espuma formou um rio que é chamado de Von – que irá correr quando Ragnarök, o Crepúsculo dos Deuses, chegar.

As ruínas de Baldur

Em Asgard, havia dois lugares que traziam força e alegria para os Æsir e os Vanir: um era o jardim onde cresciam as maçãs que Iduna colhia, e o outro era Breidablik, o Palácio da Paz, onde vivia Baldur, o Bem-Amado.

No Palácio da Paz, nenhum crime jamais tinha sido cometido, nenhum sangue derramado, nenhuma falsidade dita. O contentamento vinha à mente de todos em Asgard quando pensavam nesse lugar e em seu dono.

Baldur era belíssimo. Ele era tão bonito que todas as flores brancas da terra eram chamadas por seu nome. Baldur era feliz, pois todos os pássaros da terra cantavam seu nome. Tão justo e sábio era Baldur que o veredito por ele pronunciado nunca poderia ser alterado. Nada ímpio ou impuro jamais havia chegado perto de onde ele morava. Breidablik também era um lugar de cura. Foi lá que o pulso de Tyr foi tratado da ferida feita por Fenrir.

Agora, depois de Fenrir ter sido preso à rocha na ilha distante, os Æsir e os Vanir tiveram um certo tempo de contentamento. Passaram os dias no palácio de Baldur, ouvindo a música dos pássaros. E foi lá que Bragi, o poeta, teceu em sua história sem fim a narrativa das aventuras de Thor entre os gigantes.

Mas mesmo em neste local de paz surgiu um mau pressentimento. Um dia, a pequena Hnossa, filha de Freya e do perdido Odur, lá chegou cheia de tanta tristeza que ninguém conseguiu consolá-la. Nanna, a gentil esposa de Baldur, pegou a criança no colo e buscou acalmá-la. Então, Hnossa contou um sonho que a assustou.

Ela tinha sonhado com Hela, a deusa que tem metade do corpo vivo e metade cadáver. Em seu sonho, Hela havia entrado em Asgard dizendo:

– Um senhor dos Æsir deverá vir morar comigo em meu reino sob a terra.

Hnossa ficou com tanto medo desse sonho que caiu em profunda tristeza.

O silêncio sobreveio sobre todos ao ouvir o sonho de Hnossa. Nanna olhou melancolicamente para Odin, O Pai de Todos. E Odin, por sua vez, olhando para Frigga, viu que um medo havia entrado em seu peito.

Ele deixou o Palácio da Paz e foi para sua torre de vigia, Hlidskjalf, e esperou pela volta de Hugin e Munin. Todos os dias, seus dois corvos voavam pelo mundo e, voltando a Hlidskjalf, contavam a Odin tudo o que viam. E agora eles talvez pudessem lhe contar acontecimentos que o deixariam saber se Hela realmente havia voltado seus pensamentos para Asgard, ou se ela tinha o poder de atrair alguém para sua morada sombria.

Os corvos voaram até ele e, pousando um em cada ombro do deus, contaram-lhe coisas que estavam sendo ditas de cima a baixo de Yggdrasil, a Árvore do Mundo. Ratatösk, o esquilo, espalhava as notícias. E Ratatösk as tinha ouvido da ninhada de serpentes, que, com Nidhögg, o grande dragão, roía sem parar a raiz de Yggdrasil. Ele disse isso à águia que estava sempre sentada no galho mais alto da Árvore do Mundo, que na casa de Hela uma cama fora colocada e uma cadeira trazida para receber alguém nobre.

E ouvindo isso, Odin pensou que seria melhor que Fenrir, o lobo, vagasse vorazmente por Asgard do que Hela conquistar um dos deuses para ocupar aquela cadeira e se deitar naquela cama.

Ele montou em Sleipner, seu corcel de oito pernas, e desceu em direção às moradas dos mortos. Por três dias e três noites de silêncio e escuridão, ele continuou sua jornada. Uma vez, um dos cães de caça de Helheim se soltou e latiu sobre os rastros de Sleipner. Por um dia e uma noite, Garm, o cão, os perseguiu, e Odin sentiu o cheiro do sangue que escorria de suas mandíbulas monstruosas.

Por fim, ele chegou no local onde, repleto de mortalhas, ficava o campo dos mortos. Ele desmontou de Sleipner e chamou por Volva, uma profetisa morta há muito tempo, pedindo que ela se levantasse e falasse com ele. E quando ele pronunciou o nome dela, ele pronunciou o nome de uma runa que tinha o poder de quebrar o sono dos mortos.

Houve um gemido no meio de onde estavam os mortos. Então Odin gritou:

– Levante-se, Volva, profetisa. – Houve uma agitação no meio de onde estavam os mortos, e uma cabeça se ergueu do meio dos cadáveres.

– Quem chama Volva, a profetisa? As chuvas encharcaram minha carne e as tempestades sacudiram meus ossos por mais tempo do que os vivos podem saber. Nenhuma voz viva tem o direito de me chamar de meu sono de morte.

– É Vegtam, o andarilho, quem chama. Para quem é a cama e a cadeira vazias na morada de Hela?

– São para Baldur, o filho de Odin. Agora, deixe-me voltar a dormir com os mortos.

Mas Odin queria saber mais.

– Quem – exigiu o deus – não lamentará por Baldur? Responda, Volva, profetisa!

– Você vê longe, mas não pode ver claramente. Você é Odin.

Eu posso ver claramente, mas não posso ver longe. Agora, deixe-me voltar a dormir com os mortos.

– Volva, profetisa! – Odin gritou novamente.

Mas a voz entre os mortalhados disse:

– Você não pode me acordar mais até que o fogo de Muspelheim arda acima da minha cabeça.

Então houve silêncio no campo dos mortos, e Odin montou em Sleipner, seu corcel, e por quatro dias, através da escuridão e do silêncio, ele viajou de volta para Asgard.

Frigga sentiu o medo em Odin. Ela olhou para Baldur, e a sombra de Hela se interpôs entre ela e seu filho. Mas, então, ela ouviu os pássaros cantando no Palácio da Paz e soube que nada no mundo poderia ferir Baldur.

E para ter certeza de que nada poderia feri-lo, a deusa fez com que cada coisa do mundo jurasse que não faria mal a Baldur. Ela fez o fogo e a água, o ferro e todos os metais, as terras e pedras e grandes árvores, pássaros e animais e coisas rastejantes e venenosas jurarem. Muito prontamente, todos juraram que não causariam mal a Baldur.

Então, quando Frigga voltou e contou o que havia conseguido, o medo que pairava sobre Asgard se dissipou. Baldur seria poupado. Hela podia ter um lugar preparado para ele em sua casa escura, mas nem o fogo, nem a água, nem ferro, nem quaisquer metais, nem terras, nem pedras, nem grandes bosques, nem pássaros, nem feras, nem coisas rastejantes, nem venenos ou doenças, a ajudariam a tê-lo.

A esperança foi renovada para os deuses e promoveram jogos para homenagear Baldur. Reuniram-se no Palácio da Paz, levando todas as coisas que haviam jurado não ferir Baldur e começaram a arremessá-las nele. E nem o machado de batalha, arremessado em cheio nele, nem as pedras lançadas por fundas, nem o fogo, nem a água feririam o amado de Asgard. Os Æsir e os Vanir riram alegremente ao ver essas coisas caírem inofensivamente ao tocá-lo. Uma multidão de anões e gigantes amigáveis veio se juntar a eles nos jogos.

Mas Loki, sempre cheio de ódio, entrou, sem ser visto, em Asgard junto com a multidão de visitantes. Ele assistia aos jogos de longe e se maravilhou com o que via, mas sabia que não poderia perguntar o que estava acontecendo.

Loki mudou sua forma, transformando-se em uma velha e foi para o meio daqueles que estavam brincando com Baldur. Ele falou com os anões e gigantes amigáveis.

"Pergunte à Frigga", foi toda a resposta que Loki obteve. Então ele se dirigiu para Fensalir, a mansão de Frigga. Ele disse que era Groa, a velha feiticeira que estava tirando da cabeça de Thor os fragmentos de uma pedra de amolar que um gigante havia lançado contra ele. Frigga já tinha ouvido falar de Groa e elogiou a feiticeira pelo tratamento que dispensara a Thor.

Confiante, Loki perguntou:

– Você não vai me dizer, ó rainha, qual é o significado das coisas extraordinárias que vi os Æsir e os Vanir fazer?

– Vou contar – confidenciou Frigga, olhando com ternura e felicidade para a pretensa velha. – Eles estão jogando todos os tipos de coisas pesadas e perigosas em Baldur, meu filho amado. E todos em Asgard comemoram ao ver que nem metal, nem pedra, nem madeira irão machucá-lo.

– Mas, por quê? – perguntou a falsa feiticeira.

– Porque eu consegui que todas as coisas perigosas e ameaçadoras jurassem não ferir Baldur – respondeu Frigga.

– De todas as coisas, senhora? Não há nada em todo o mundo que tenha deixado de jurar não ferir Baldur?

– Bem, de fato, há uma coisa que não fez o juramento. Mas é algo tão pequeno e fraco que eu passei sem pensar nisso.

— O que pode ser isso, senhora?

— O visco que não tem raiz nem força. Ele cresce no lado leste do Valhalla. Passei por ele sem pedir que fizesse o juramento.

— Certamente você não estava errada em ignorá-lo. O que o visco, que sequer tem raízes, poderia fazer contra Baldur?

Dizendo isso, a pretensa feiticeira saiu mancando.

Mas não mancou tanto. Logo, Loki mudou seu passo e correu para o lado leste do Valhalla. Lá, um grande carvalho florescia e de um galho crescia um pequeno arbusto de visco. Loki pegou a planta e foi até onde os Æsir e os Vanir estavam jogando em homenagem a Baldur.

Todos estavam rindo enquanto Loki se aproximava, divertindo-se em arremessar todo tipo de objetos contra o deus. No meio de toda aquela alegria e diversão, era estranho ver alguém parado sem alegria. Mas alguém estava assim. Era um dos Æsir, Hödur, o irmão cego de Baldur.

— Por que você não entra no jogo? — perguntou Loki para ele, disfarçando sua voz.

— Não tenho nada para lançar em Baldur — disse Hödur.

— Pegue isto e jogue — sugeriu Loki. — É um galho de visco.

— Não consigo ver para onde arremessá-lo — admitiu Hödur.

— Eu vou guiar sua mão — ofereceu Loki. Ele colocou o galho de visco na mão de Hödur e guiou seu lançamento. O galho voou na direção de Baldur, atingiu-o no peito e o perfurou. Então, Baldur caiu com um gemido profundo.

Os Æsir e os Vanir, os anões e os gigantes amigáveis, pararam em dúvida, medo e espanto. Loki escapuliu. E o cego Hödur ficou calado, sem saber que seu lançamento havia privado Baldur de vida.

Então, um lamento ergueu-se no Palácio da Paz. Baldur estava morto e os Æsir e os Vanir começaram a lamentar a perda. E enquanto lamentavam, Odin chegou.

– Hela tirou nosso Baldur de nós – disse Odin a Frigga, enquanto os dois se curvavam sobre o corpo de seu amado filho.

– Não, eu não vou admitir isso – disse Frigga.

Quando os Æsir e os Vanir recuperaram seus sentidos, a mãe de Baldur dirigiu-se a eles.

– Quem entre vocês conquistaria meu amor e boa vontade? – perguntou ela. – Quem irá cavalgar até o reino escuro de Hela e pedir à rainha dos mortos para nos devolver Baldur. Pode ser que ela aceite e deixe Baldur voltar. Quem entre vocês irá? O corcel de Odin está pronto para a jornada.

Hermod, o Ágil, irmão de Baldur, ofereceu-se para ir. Sem demora, ele montou em Sleipner e virou o corcel de oito pernas em direção ao reino escuro de Hela.

Por nove dias e nove noites, Hermod cavalgou. Seu caminho era através de vales acidentados, um mais profundo e escuro que o outro. Ele chegou ao rio que é chamado Giöll e à ponte sobre ele, feita de ouro resplandecente. Modgudur, a pálida guardiã da ponte, dirigiu-se a ele.

– A cor da vida ainda está em você – disse Modgudur. – Por que você veio até o reino de Hela, onde só os mortos habitam?

– Sou Hermod – respondeu ele – e vou ver se Hela aceita um resgate por Baldur.

– Terrível é a habitação de Hela – disse Modgudur. – Em toda a volta há uma parede íngreme que nem mesmo teu corcel poderia galgar. Sua soleira é o precipício. A cama ali é ameaça, a mesa é fome, a iluminação, angústia ardente.

– Pode ser que Hela peça resgate por Baldur – insistiu Hermod.

– Se todas as coisas no mundo ainda lamentam a morte de Baldur, Hela terá que pedir resgate e deixá-lo ir embora – concluiu Modgudur. – Mas você não pode passar até que tenha certeza de que todas as coisas ainda o lamentam. Volte para o mundo e certifique-se. Se você voltar a esta ponte reluzente e me disser que todas as coisas do mundo lamentam a morte de Baldur, eu deixarei você passar e Hela terá de ouvi-lo.

E assim foi. Hermod virou Sleipner e cavalgou de volta pelos vales acidentados, cada um mais sombrio do que o outro. Ele alcançou o mundo superior e viu que todas as coisas ainda lamentavam a morte de Baldur. Alegremente, Hermod seguiu em frente. Ele encontrou os Vanir no meio do mundo e contou-lhes as boas novas. E Hermod e os Vanir percorreram o mundo procurando e descobrindo que cada coisa ainda chorava por Baldur. Mas um dia, Hermod encontrou um corvo que estava sentado no galho morto de uma árvore. O corvo voou para longe, e Hermod a seguiu para se certificar se ele lamentava a morte de Baldur.

Ele perdeu a ave de vista perto de uma caverna. Entretanto, diante da caverna, ele viu uma bruxa com dentes enegrecidos. Ele se dirigiu a ela.

– Se você é o corvo que veio voando até aqui, lamente por Baldur – pediu Hermod.

– Eu, Thaukt, não vou lamentar pela morte de Baldur – disse a bruxa. – Que Hela fique com ele em seu reino.

– Mas todas as coisas do mundo choram por Baldur – argumentou Hermod.

– Vou chorar lágrimas secas por ele – disse a bruxa.

Ela entrou mancando em sua caverna e, enquanto Hermod a seguia, um corvo saiu voando. Ele sabia que era Thaukt, a bruxa do mal, transformada. Ele a seguiu, e ela saiu pelo mundo gritando:

– Deixem Hela ficar com quem ela detém! Deixem Hela ficar com quem ela detém!

Então Hermod soube que não poderia ir até a casa de Hela. Todos sabiam agora que alguém não lamentava a morte de Baldur. Abatido, de cabeça baixa, inclinada sobre a crina de Sleipner, Hermod cavalgou de volta a Asgard.

Agora os Æsir e os Vanir, sabendo que nenhum resgate seria pedido por Baldur e que a alegria e o contentamento haviam sumido por completo de Asgard, prepararam seu corpo para o funeral. Primeiro, eles cobriram o corpo de Baldur com um manto ricamente bordado, e cada um deixou ao seu lado seu bem mais precioso. Então, todos se despediram dele, beijando-o na testa. Mas Nanna, sua esposa gentil, atirou-se sobre seu peito morto, e seu coração se partiu e ela morreu de tristeza. Assim, os Æsir e os Vanir redobraram seu pranto e seus lamentos. E eles pegaram o corpo de Nanna e o colocaram lado a lado do de Baldur em grande navio, Ringhorn. O barco seria lançado na água e queimado.

Mas nenhum dos Æsir ou Vanir foi capaz de lançar o grande navio de Baldur. Hyrroken, uma gigante, foi enviada. Ela veio montada em um grande lobo com serpentes retorcidas como rédeas. Quatro gigantes tiveram que segurar o lobo com força para ela desmontar. Ela foi até o navio e com um único empurrão o lançou ao mar.

O fogo foi ateado ao barco, e logo as chamas começaram a se erguer. E no resplendor das labaredas, os deuses vislumbraram um vulto curvando-se sobre o corpo de Baldur e sussurrando em seu ouvido. Era Odin, O Pai de Todos. Então, ele desceu do navio, e o fogo aumentou incrivelmente. Sem palavras, os Æsir e os Vanir assistiam com lágrimas nos olhos, enquanto todas as coisas do mundo lamentavam, clamando: "Baldur, o Belo está morto, está morto!"

E o que foi que Odin, O Pai de Todos, sussurrou para Baldur, entre as chamas que consumiam o navio? Ele contou sobre um céu acima de Asgard que as chamas de Surtur não podem alcançar e sobre a vida que renasceria em beleza novamente depois que o Mundo dos Homens e o Mundo dos Deuses tivessem sido exterminados por completo pelo fogo.

A punição de Loki

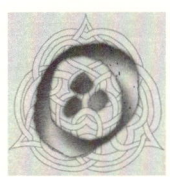

O corvo saiu voando em direção ao norte, crocitando enquanto voava:

– Deixem Hela ficar com quem ela detém! Deixem Hela ficar com quem ela detém!

Esse corvo era a bruxa Thaukt, e a bruxa Thaukt era, na verdade, Loki.

Ele voou para o norte, em direção a Jötunheim. Como um corvo, ele passou a viver lá, escondendo-se da ira dos deuses. Ele disse aos gigantes que havia chegado a hora de construir o navio Naglfar, todo feito com as unhas dos pés e das mãos dos mortos e que zarparia para Asgard no dia de Ragnarök com o gigante Hrymer no comando. E atendendo ao que ele disse, os gigantes começaram a construir Naglfar.

Então Loki, cansado das ruínas de Jötunheim, voou para o sul, sempre em chamas. Como um lagarto, ele viveu entre as rochas de Muspelheim e alegrou os gigantes do fogo quando lhes contou sobre a perda da espada de Frey e da mão direita de Tyr.

Mas ainda havia em Asgard alguém que chorava por Loki. Era Siguna, sua esposa. Embora ele a tivesse deixado e mostrado seu ódio por ela, Siguna chorava por seu marido mau.

Loki deixou Muspelheim como havia deixado Jötunheim, e veio viver no Mundo dos Homens. Ele sabia que agora havia chegado a um lugar onde a ira dos deuses poderia encontrá-lo e, por isso, fez planos para estar sempre pronto para escapar. Ele tinha vindo para o rio onde, antes, ele matara a lontra que era filho do feiticeiro. E na mesma rocha onde a lontra havia comido o salmão no dia de sua morte, Loki construiu sua casa. Ele fez quatro portas para que pudesse ver em todas as direções. E o poder que reservou para si mesmo foi o de se transformar em salmão.

Frequentemente, como salmão, ele nadava no rio. Mas Loki tinha ódio até mesmo pelos peixes que nadavam ao lado dele. Com linha e lã, ele teceu uma rede para que os homens tivessem meios de tirá-los da água.

A ira que os deuses tinham contra Loki não passou. Foi ele quem, como Thaukt, a bruxa, deu a Hela o poder de manter Baldur sem ser resgatado. Foi ele quem colocou nas mãos de Hödur o ramo de visco que havia privado Baldur de vida. Vazia estava Asgard agora que Baldur não vivia mais no Palácio da Paz, e severas e sombrias dúvidas se instalavam nas mentes dos Æsir e dos Vanir pensando nas coisas terríveis que estavam por vir. Odin em seu salão Valhalla pensava apenas nas maneiras pelas quais ele poderia trazer heróis para ajudá-lo na defesa de Asgard.

Os deuses procuraram pelo mundo e finalmente encontraram o lugar onde Loki havia feito sua morada. Ele estava tecendo a rede para pegar peixes quando os viu vindo das quatro direções. Loki jogou a rede no fogo e saltou no rio, transformando-se em um salmão. Quando os deuses entraram em sua casa, encontraram apenas o fogo apagado.

Mas havia um deus entre eles que podia entender tudo o que ele via. Nas cinzas estavam as marcas da rede queimada e ele sabia que eram o traço de algo para pegar peixes. E com as marcas deixadas nas cinzas ele fez uma rede igual à que Loki havia queimado.

Com ela nas mãos, os deuses desceram o rio, arrastando a

rede pela água. Loki ficou apavorado ao descobrir que sua própria rede era usada contra ele. Ele se deitou entre duas pedras no fundo do rio, e a rede passou por cima dele.

Mas os deuses sabiam que a rede havia tocado em algo no fundo. Eles amarraram pesos nela e arrastaram a rede pelo rio novamente. Loki sabia que não poderia escapar desta vez e nadou em direção ao mar. Os deuses o avistaram quando ele saltou sobre uma cachoeira. Eles o seguiram, arrastando a rede. Thor vinha atrás, pronto para agarrá-lo caso ele voltasse.

Loki saiu na foz do rio e eis que havia uma grande águia pairando sobre as ondas do mar pronta para atacar os peixes. Temeroso, ele voltou no rio e saltou por cima da rede que os deuses arrastavam. Mas Thor estava atrás da rede e pegou o salmão com suas mãos poderosas e o segurou, enquanto Loki lutava para se libertar. Nenhum peixe jamais havia lutado assim antes. Loki conseguiu se libertar, mas Thor segurou sua cauda de peixe e o trouxe entre as rochas. Então, forçou-o a assumir sua forma verdadeira.

Agora Loki estava nas mãos daqueles cuja ira ele temia. Eles o levaram a uma caverna e o amarraram a três rochas de pontas afiadas. Com cordas feitas de tendões de lobos eles amarraram-no e transformaram as cordas em ferro. Lá, eles deixariam Loki amarrado e indefeso. Mas Skadi, com seu sangue de gigante feroz, achou que a punição era branda. Ela encontrou uma serpente que tinha um veneno terrível e pendurou esta serpente acima da cabeça de Loki. As gotas de veneno caíram sobre ele, trazendo-lhe angústia gota a gota, minuto a minuto, torturando-o sem parar.

Mas Siguna com o coração compassivo veio ao seu alívio. Ela se exilou de Asgard e suportou a escuridão e o frio da caverna, para que pudesse aliviar um pouco do tormento do seu marido. Acima de Loki, Siguna segurava em suas mãos uma taça na qual caía o veneno da serpente, poupando-o da dor. De vez em quando, Siguna tinha que se virar de lado para derramar o copo que fluía, e então as gotas de veneno caíram sobre Loki e ele gritava em agonia, retorcendo-se em suas amarras. E assim Loki permaneceria até a chegada de Ragnarök, o Crepúsculo dos Deuses.